PEDRO LAÍN ENTRALGO

LA GENERACIÓN
DEL NOVENTA Y OCHO

QUINTA EDICIÓN

ESPASA-CALPE, S. A.

Ediciones especialmente autorizadas por el autor para la

COLECCIÓN AUSTRAL

Primera edición: 29 - XI - 1947
Segunda edición: 30 - IV - 1948
Tercera edición: 6 - X - 1956
Cuarta edición: 10 - IX - 1959
Quinta edición: 29 - IX - 1963

© Espasa-Calpe, S. A. Madrid, 1963

———

N.º Rgtr.º: 4.406 — 56
Depósito legal: M. 15.289 — 1963

Printed in Spain

Acabado de imprimir el día 29 de noviembre de 1963

Talleres tipográficos de la Editorial Espasa-Calpe, S. A.
Ríos Rosas, 26. — Madrid

ÍNDICE

NOTA PREVIA

El lector de esta edición de LA GENERACIÓN DEL NOVENTA Y OCHO, especialmente preparada para la Colección Austral, deberá tener en cuenta las advertencias siguientes:

1.ª El autor se ha propuesto describir el parecido generacional de los escritores que integran el grupo "del noventa y ocho". Nadie busque, pues, en estas páginas una semblanza o un estudio de la singularidad personal —literaria, sentimental, intelectual, política, hazañosa, etc.— de cada uno de ellos. Sólo muy de pasada son mencionados, a veces, ciertos rasgos diferenciales.

2.ª El parecido generacional de los escritores del noventa y ocho ha sido estudiado con criterio biográfico. La semejanza entre sus particulares biografías, en tanto españoles y literatos, me ha permitido establecer lo que llamo "la biografía del parecido generacional". Algunas precisiones acerca de este delicado problema historiográfico se encontrarán en mi libro *Las generaciones en la Historia*, Madrid, 1945, concebido como una introducción metódica a éste de LA GENERACIÓN DEL NOVENTA Y OCHO.

3.ª En el estudio del parecido generacional he dirigido mi atención, muy preponderantemente, al que existe entre todos los componentes del grupo por su condición de españoles, y ha quedado en segundo plano el que les distingue por su condición de literatos. Una investigación ulterior, cumplida por mí o por otro, mostrará si también en el costado literario de su personalidad existe un parecido generacional. Por mi parte, estoy seguro de ello.

4.ª Un poco convencional y arbitrariamente, he situado en el primer plano de mi exposición los testimonios de Unamuno, *Azorín*, Baroja, Antonio Machado y Valle-Inclán. Quedan en segundo plano las opiniones y los sentimientos de Ganivet y de Maeztu, y sólo en fugaces alusiones aparecen los nombres de Benavente, Manuel Machado y otros miembros de la generación.

5.ª Trato de precisar, en suma, en qué consiste el parecido histórico entre Unamuno, *Azorín*, Baroja, Antonio Ma-

chado, Valle-Inclán, Ganivet y Maeztu: las instancias históricas, universales y españolas, que actúan sobre el alma de
todos y cada uno de ellos, por haber vivido donde y cuando vivieron; la semejanza entre lo que cada uno aceptó de
su mundo histórico y rechazó de él; la sucesiva analogía
entre los proyectos y los ensueños de todos ellos ante lo
que ya es tópico llamar "el problema de España".

Y todo esto existe. Está ahí, junto a nosotros, en torno
a nosotros. Un paisaje nace con la luz de cada día y muere
con ella. ¿Qué nos diría, que nos dirá a nosotros su contemplación? Escribió Unamuno, ya viejo, que cuando se trans-
ponía de Ávila a Madrid, del Adaja al Manzanares, al dar
vista desde el Alto del León, mojón de las dos Castillas, a
ésta, a la Nueva, y aparecérsele como en niebla la tierra
del paisaje, subíasele éste al alma y se le hacía alma: "me
coge el ánima como un día esta tierra española, cuna y
tumba, me cogerá —así lo espero— con el último abrazo
maternal de la muerte". ¿Qué dirá ese paisaje a nuestra
alma, esta alma de gran ciudad, llena de lecturas, oprimida
en el tiempo y en el espacio, sedienta de evasión? ¿Qué nos
dirá a nosotros?

Un coche y un amigo nos esperan. ¿Por qué no ver en
este providencial azar una ocasión para la minúscula e inmensa aventura? Sí, vayamos. Vayamos, amigos, otra vez
hacia el descubrimiento del paisaje castellano.

DESCUBRIMIENTO DE UN PAISAJE

El día es seco y luminoso. Un viento suave conmueve y
hace rumorosa la fronda reciente de las acacias urbanas.
El coche, por mano amiga conducido, asciende, ligero, por
el paseo de la Castellana hacia los altos de Chamartín.
Pronto quedan atrás palacetes y viviendas burguesas. A de-
recha mano, sobre una colina de césped municipal e inventado, álzase sin brío, con un aire perennemente provisional,
el Museo de Ciencias Naturales. A mano izquierda, la mole
geométrica —mitad escurialense, mitad marxista— de los
Nuevos Ministerios.

Chamartín adelanta hacia el camino sus casas menudas
y humildes: tiendecitas híbridas —esas tiendas de arrabal
donde se encuentra todo—, hogares menestrales, viviendas
de mediocre decoro, en que el comerciante retirado y el profesor sensible buscan aire y silencio. El rojo del ladrillo y
el verde vegetal —árboles itinerarios, jardinillos domésticos— dan color modesto y reposado a este cabo de la ciudad. Van y vienen carrillos, vehículos militares, tranvías en
que todos se conocen, muchachos en bicicleta. Verde y rojo
se hacen muy pronto más densos y encumbrados, cuando
el automóvil rodea la inequívoca pretensión oxoniense del
Colegio de los Jesuítas. Una curva cuestecilla, una iglesuela,
un cuartel reciente, pocas casas más, y ya se abre ante los
ojos la anchura luminosa y desazonante de Castilla la Nueva. Un paisaje español se ofrece a nuestra mirada: el paisaje más difícil y esencial de España.

hondo y sencillo a otros campos de España, hermanos mayores de estos que ahora vemos. El corazón se nos levanta
en vilo, seco y encendido, ante el llano rojo, pardo, amarillo, gris.

Drama, sí. Mas no todo es en nosotros dramática sequedad. En el seno mismo de este acezante sentimiento, jas-
peando de ternura la cálida y apretada pared de nuestro
corazón, fluye una delgada vena de entrañable delicadeza.
Drama y ternura, he ahí los dos componentes de la emoción que este paisaje despierta en los penetrales de nuestra
alma. Nos parece ver al Cid volviendo del combate; un
Cid adusto, grave, la sangre hasta el codo, que acaricia
con su diestra cruenta la cabeza triste de una niña aban-
donada.

Tal es el paisaje, tal la emoción con que nos conmueve.
Un trozo de naturaleza se ha hecho paisaje por la virtud
de una mirada humana, la nuestra, que le da orden, figura
y sentido. Sin ojos contemplativos no hay paisaje. Mira el
hombre a la tierra, y lo que era muda geología, adición
espacial de piedras, agua y verdura, hácese de golpe marco
de su existencia: marco escenográfico, como en los paisajes
que pintan o describen los artistas del Renacimiento, o marco sentimental, como en todos los paisajes que, con una
secreta sed de reposo y evasión, vamos viendo los hombres
posteriores al siglo XVIII. Este fugitivo y leve momento en
que la naturaleza se transmuta en orla de la vida humana
—intimidad e historia— es el decisivo en el nacimiento del
paisaje. Aunque el hombre, por torpeza ingénita o por falta
de recursos expresivos, no acierte a manifestar articulada-
mente su personal modo de vivir la parcela cósmica que le
circunda y soporta.

Llega una ocasión en que, por una razón o por otra, tal
hombre atiende con más ahinco a la tierra en torno y logra
ordenar con la palabra la huella impresa en su espíritu
por esa atenta expectación; cuando esto ocurre, un nuevo
paisaje nace a vida histórica. Es, por ejemplo, un momento en que Virgilio pone en dos sobrios, desnudos versos la
emoción de ver oscurecerse la tierra itálica:

et jam summa procul villarum culmina fumant,
majoresque cadunt altis de montibus umbrae.

Ahí estaba la imponente geología de los Alpes, limitada
a ser residencia cómoda o terrible de los hombres que los
habitaban, hasta que el adelantado Petrarca, por un costado, y Alberto von Haller —fisiólogo y poeta, ilustrado y
sentimental—, por otro, descubrieron, mejor, inventaron su
antes inexpresada belleza y convirtieron al monte en pai-

La cinta gris de la carretera, derechamente alargada a
el automóvil, sirve de eje al cuadro contemplado. Una lí
tersa, precisa, da contorno a la tierra hacia poniente:
el pueblo de Fuencarral, acostado como un galgo sobre
gleba y rematado a lo lejos por la humilde espadaña de s
iglesia. La luz justa y límpida del junio castellano hace pa
tente, casi numerable, esa franja de edificios cuya techum-
bre compone la línea del horizonte. Por donde el sol nace,
los montes de Guadalajara rematan·con un festón brillante
y desvaído —rojizo, siena, violeta— el suelo espacioso y
ondulante. Frente a nosotros, hacia el Norte, las cumbres
de Somosierra detienen la avidez de la mirada con su espesa mancha azul, sólo levemente jaspeada de vetas grises
y verduscas.

Entre la franja humana de Fuencarral y la franja geológica de allende el Jarama tiéndense las dos sábanas desiguales que nos dan soporte y cobijo. Por arriba, la del
cielo: azul puro y sencillo sobre la línea del monte, azul
rosado o ígneo sobre la del poblado. Unas nubes sombrías,
redondas ahora, deshilachadas luego, muévense lentamente
a impulsos del viento. Sobre el fondo umbrío de la nube y
sobre el fondo azul del cielo chillan los vencejos y dibujan
curvas rayas negras con su vuelo incesante. Luces, colores
y figuras se adelgazan, se esencializan, en este cielo diáfano
y preciso.

La sábana del suelo es ocre, gualda, gris. Trigales humildes ponen sobre ella la parva y dispersa alegría de su color
verde, ya amarillecido a trechos. A lo lejos, encinas espar-
cidas salpican de oscura gravedad el fuego contenido de la
tierra. Va descendiendo el suelo en ondas decrecientes hacia
el menudo cauce del río que se desliza a nuestra mano diestra, entre la azulada carretera próxima y el rojizo monte
lejano. Junto al río, algún sotillo de reposados olmos y una
hilera de finos chopos, sonoros cuando los conmueve el
viento, conceden cierta tregua de ternura vegetal a la du-
reza dramática, encendida, de la tierra en torno. El rumor
de las hojas, el grito de los pájaros y alguna voz humana
aislada, extraña, casi misteriosa, dan sonido a la inmensa
quietud del paisaje.

Una emoción nueva nos pasa de los ojos al pecho. No es
la emoción blanda, tibia y aguanosa que se adueña de
nosotros. fundiéndonos vegetalmente con la tierra mollar,
frente a los verdes valles del norte. Tampoco es la dulce
serenidad, ese ordenado y bien medido contento de ser
hombre, mero hombre, que incitan en el alma los campos
pingües de la Turena o los serenos horizontes de la Toscana. Es la nuestra una emoción entre dramática y delicada.
"Llanuras bélicas y páramos de asceta", llamó un poeta

saje. Ahí estaban los llanos y las sierras de Castilla, sus graves encinas y sus álamos delicados, hasta que unos cuantos hombres, hace no más de cuatro o seis decenios, nos hicieron percibir el sentimiento dramático y tierno de su contemplación.

¿Cómo pudo ser, cómo fué la mirada que por vez primera advirtió· la gentil figura y vió —o dió— el dramático sentido de este paisaje castellano? No fué, desde luego, una mirada naturalista. En ella no se fundió el ojo con la tierra en deliquio panteístico; no se sintió el hombre pura naturaleza vegetal o cósmica, ni elevó el campo a la condición de ser viviente, como acaso suceda mirando la estepa rusa o en la tibia y húmeda penumbra de la selva tropical. No hubo confusión del hombre con la gleba. Entre la pupila de estos descubridores y la haz de la tierra que contemplaban un ensueño se interpuso; un ensueño inventado por su alma menesterosa y proyectado desde ella sobre el suelo castellano, tan asendereado y a la vez tan virginal. Veían así la tierra porque con los ojos del alma la soñaban poblada de animadas sombras humanas: sombras recordadas de hombres que pasaron, sombras imaginadas de hombres presentes, sombras posibles de hombres futuros. Entre el ojo y la tierra, creado por el alma contemplativa vive y tiembla un ensueño de vida humana; una idea de la historia que fué, un proyecto de la historia que podría ser.

¿Quiénes son los hombres que nos han hecho ver así este paisaje de España? ¿Cuál fué su recuerdo de la España pretérita, cuál su imagen de la España presente, cuál su ensueño de la España posible y futura?

LOS HOMBRES DEL 98

Confesémoslo sin reparo: nuestro espíritu es insoportablemente letrado y pedantesco. No se conforma con haber percibido una belleza inédita en este transitado paisaje, ni siquiera con definir y dar nombre a la emoción que la tierra y el cielo suscitan en el fondo cordial de nuestros ojos españoles. Sabe que esta emoción, por sincera, personal e inédita que sea, tiene sus precedentes literarios, y no se conforma sino con una morosa pesquisición de "fuentes". Fuimos ante nuestro paisaje sensitivos y meditabundos; seamos ahora un poco eruditos —*ma non troppo*— ante la emoción por él despertada.

Hemos vuelto del campo. Estamos ya en nuestra estancia de trabajo, llena la memoria de tierra encendida y cielo azul. Ante nuestros ojos se alinean —rojo, azul, naranja, negro, oro— los lomos de los libros. ¿Encontraremos los antecedentes de nuestra emoción en alguna de estas páginas, en alguno de estos osarios, de estos perennes manantiales de ideas y de ensueños?

Nuestra mano toma del anaquel un libro delgado de verde lomo. Está fechado en 1895. Es su título *En torno al casticismo;* su autor, Miguel de Unamuno, un vascongado recién venido a la docente Salamanca. Háblanos el vasco de la llanura castellana: "Recórrense a las veces —dice, recordándola— leguas y más leguas desiertas sin divisar apenas más que la llanura inacabable donde verdea el trigo o amarillea el rastrojo; alguna procesión monótona y grave de pardas encinas, de verde severo y perenne, que pasan lentamente espaciadas, o de tristes pinos que levantan sus cabezas uniformes. De cuando en cuando, en la orilla de algún pobre regato medio seco o de un río claro, unos pocos álamos, que en la soledad infinita adquieren vida intensa y profunda. De ordinario anuncian estos álamos al hombre: hay por allí algún pueblo, tendido en la llanura al sol, tostado por éste y curtido por el hielo..."

El llano inhóspito de la altiplanicie castellana se ha hecho paisaje ante una mirada ordenadora y amorosa. Todos los elementos de la meseta —tierra, encinas, álamos, humildes poblados— componen una figura, y dentro de ella están dotados de lugar, sentido y emoción singulares: encina "grave", "triste" pino, álamos llenos de "vida intensa y profunda". El total sentimiento del paisaje contemplado se desgrana y diversifica en las notas aisladas de los adjetivos y adverbios; "monótono", "severo", "infinito", "lentamente"...

¿En qué consiste ese total sentimiento? Pocas líneas más adelante expresa el joven Unamuno —treinta años de existencia, quince de lecturas y paseos incansables sobre la verde Vasconia y sobre la parda Castilla— el sentido unitario y último que para él tiene este paisaje castellano: "Es... un paisaje monoteísta este campo infinito en que, sin perderse, se achica el hombre y en que se siente en medio de la sequía de los campos sequedades del alma." Dios, la tierra absoluta y el hombre, un hombre empequeñecido y recogido en sí mismo frente a la infinitud de Dios y la inmensidad de la tierra, pero entera y subsistente su insoluble personalidad; tales son los elementos sustanciales de ese paisaje y la osamenta de su dramática emoción.

Esta emoción ¿brota directamente de la tierra, como brotan de ella el color de la roca o la húmeda frescura del arroyo? No se trata de un sentimiento infundido en el alma del hombre por la naturaleza, a través de los ojos y de la sangre. Quédese esto para otros paisajes y otros hombres. Trátase de un sentimiento personal e histórico proyectado desde el espíritu sobre la tierra circunstante. La historia, una personal visión de la historia y de la vida de España, se interpone entre el ojo y la superficie del paisaje. La interpretación sentimental y teológica que las palabras de Unamuno hacen del paisaje alto castellano no es ajena al mundo del recuerdo, esto es, a la vida personal e histórica: viendo así la tierra de Castilla, recuerda el vasco que sobre el suelo contemplado peregrinaron el Cid y San Juan de la Cruz. Ve Unamuno a Castilla *desde* la personal idea que de entrambos tiene; de ellos y de todas las grandes sombras del pasado de España.

Nuestra mano toma otro libro del anaquel. Éste se llama *La voluntad.* Lo firma José Martínez Ruiz y ha sido impreso en 1902. Abramos sus páginas. A los veintinueve años escasos cuéntanos Martínez Ruiz una parte de su credo estético por boca del maestro Yuste: "Lo que da la medida de un artista es su sentimiento de la naturaleza, del paisaje... Un escritor será tanto más artista cuanto mejor sepa interpretar la *emoción del paisaje...*" No es sordo el escritor Martínez Ruiz al mandamiento implícito en las palabras del maestro Yuste; pronto nos dará su medida de artista ante el paisaje infinito y monótono de las tierras en que la Mancha castellana se hace levantina: "A lo lejos, en lo hondo, la llanura —amarillenta en los barbechos, verde en los sembrados, negra en las piezas labradas recientemente— se extiende adusta, desolada, sombría. En perfiles negruzcos, los atochares cortan y recortan a cuadros desiguales el alcacel temprano. Los olivares se alejan en menudas manchas simétricas hasta esfumarse en las estribaciones de los terreros grises. Y acá y allá, desparramadas en la llanura, resaltantes en la tierra uniforme, lucen blanquecinas las paredes de las casas diminutas..."

Así ve Antonio Azorín, joven sensible, analítico e irresoluto, el campo del Pulpillo, a la vera de Yecla. La técnica descriptiva con que Martínez Ruiz nos manifiesta su emoción frente a este paisaje difiere de la más franca e ingenuamente subjetiva que emplea Unamuno ante la llanura de la vieja Castilla. El sentimiento histórico y lírico del vasco es abierto, casi explosivamente manifestado; el sentimiento del levantino es circunspecto, estético. Martínez Ruiz hace ante el paisaje manchego puro impresionismo y, con la cautela de un positivista avisado, huye de poner adjetivos emocionales, tan abundantes en las descripciones de Unamuno, entre los adjetivos sensoriales —"amarillento", "adusto", "uniforme"...— que conceden su individualidad a los elementos sustantivos y genéricos del paisaje: el barbecho, el olivar, las atochas. A primera vista, el escritor no habría pasado de ordenar sobre el papel, con la máxima sencillez posible, ciertos elementos cromáticos y figurales del paisaje.

Mas no nos dejemos seducir por la primera apariencia.
¿Hay, acaso, un modo de pintar más arbitrariamente personal, más subjetivo, según suele decirse, que el impresionismo, no obstante su propósito de mostrar las cosas tal y
como *naturalmente* se le aparecen al pintor? Sigamos leyendo las páginas de Martínez Ruiz. Continúa el absorto Antonio
Azorín inmóvil ante el campo del Pulpillo. Sobre los colores
y las figuras vuela ahora el mensaje inquietante de los sonidos campesinos: "A ratos, el gemido del viento, el tintinear
lejano de una esquila, el silabeo imperceptible de una canción fatigosa, conmueven el espíritu con el ansia perdurable
de lo infinito." Dios sobre el campo, Dios dentro del alma.
Frente a un trozo de tierra afín a los que Unamuno ha
llamado "monoteísticos" siente Antonio Azorín en su espíritu cálida y sedienta sequedad. ¿Es el sentimiento de Antonio Azorín hijo directo del paisaje? ¿Nace esa sed de lo
Infinito de contemplar la áspera sequedad de los atochares
y la infinitud de un llano desolado y sombrío?

No, no. También ahora se interpone entre la pupila y la
tierra una idea y un sentimiento de la historia española.
Recordemos, en efecto, otra visita de Antonio Azorín al campo del Pulpillo: "Se siente en esta planada silenciosa —nos
confía Martínez Ruiz— el espíritu austero de la España clásica, de los místicos inflexibles, de los capitanes tétricos
—como Alba—; de las almas tumultuosas y desasosegadas
—como Palafox, Teresa de Jesús, Larra...—. El cielo es ceni-
ciento; la tierra es negruzca; lomas rojizas, lomas grises,
remotas siluetas azules cierran el horizonte. El viento ruge
a intervalos. El silencio es solemne. Y la llanura solitaria,
tétrica, suscita las meditaciones desoladoras, los éxtasis, los
raptos, los anonadamientos de la energía, las exaltaciones
de la fe ardiente..." Una visión y una pasión de España se
infiltran y expanden a través de los sustantivos reales —la
tierra, las lomas —y entre los adjetivos impresionistas. La
sensibilidad de Martínez Ruiz es distinta de la sensibilidad
de Unamuno; los ojos de uno y otro, sin embargo, descubren
paisajes semejantes y sus almas se estremecen ante ellos con
emociones no muy distantes entre sí. La tierra, el cielo, la
infinitud de Dios y una idea de lo que fué Dios para los
españoles que fueron —el duque de Alba, Santa Teresa—
componen la imagen azoriniana del paisaje manchego.

Pasarán años. José Martínez Ruiz se convertirá, definitivamente, en el escritor *Azorín*. *Azorín*, o el escritor. Será
entonces cuando *Azorín*, más dueño de sus recursos expresivos, más sosegado, más diestro en comprender y definir
sus propios estados de ánimo, nos revele la esencial relación
que dentro de sus ojos tienen el paisaje castellano —quiero
decir: la emoción azoriniana ante el paisaje de Castilla—

y la idea azoriniana de la historia de España. "Hemos contemplado durante el día —dirá— el paisaje de Castilla, el
cielo, las ringleras de gráciles álamos, el río y los oteros, la
llanura amarillenta, las humaredas que se disuelven lentamente en el aire, las remotas montañas. ¡Cuántas alegrías,
cuántos dolores, cuántas esperanzas, cuántas decepciones han
pasado por esta tierra durante siglos, a través de los años
y de los años, a lo largo de las generaciones! Y todas estas
exaltaciones y estas angustias de la larga cadena de nuestros antecesores han venido a crear en nosotros, artistas,
esta sensibilidad que hace que nos conmovamos ante el
paisaje y que sintamos —ligada a él— esta página de Cervantes o esta rima de Fray Luis."

El artista de la literatura, el escritor *Azorín*, puesto ante
la vieja y recién hallada tierra de Castilla, siente en su
alma —usaré otra vez sus propias palabras— "la belleza
de un paisaje concordado íntima y espiritualmente con una
raza y una literatura, la exacta e inefable relación que
existe entre la grave prosa castellana y ese macizo de álamos
que se levantan esbeltos en el declive de un recuesto austero y limpio". Dentro de *Azorín*, artista de las letras, está
siempre, tiene que estar siempre el español José Martínez
Ruiz, nacido en Monóvar, año 1873. Por ahora érame suficiente mostrar que está incluso en sus palabras más directa
y unívocamente referidas a la realidad sensorial. En las páginas subsiguientes veremos cómo está.

Un tercer libro. Autor, Antonio Machado. *Poesías completas* es el título. Recoge este libro versos escritos por su autor
en los primeros lustros de nuestro siglo. Canta el poeta su
soledad, el íntimo dolor del tiempo fugitivo, las cosas sencillas que decoran y acompañan la vida del hombre, la nostalgia de algo que no existió y el alma sueña:

De toda la memoria, sólo vale
el don preclaro de evocar los sueños,

dice, dando poética expresión al ansia de lo que pudo ser
y no fué, la más penetrante herida de todas las que inflige
la Historia en el corazón del hombre.

Mas no todo es en el canto lírica intimidad. También declara el poeta la emoción que en él despierta la tierra en
torno. Habla, por ejemplo, a ese Guadarrama hermoso y
familiar que las dos Castillas ofrecen, generosas, a la mirada
de Madrid:

¿Eres tú Guadarrama, viejo amigo,
la sierra gris y blanca?...

Pónese otra vez ante la grave y sombría encina de los llanos y de los alcores de Castilla, y la requiebra suave, sencillamente:

> *Con tu vigor sin tormento*
> *y tu humildad que es firmeza,*

dícele, como si fuese ella, la encina, una casta y honda mujer del campo, una honrada madre castellana. Canta asimismo las tierras olivíferas, alegremente severas, de la plateada Baeza, "pobre y señora":

> *¡Campo de Baeza,*
> *soñaré contigo*
> *cuando no te vea!*

Canta y sueña el poeta, sobre todo, la emoción del campo soriano, ese campo bronco, cruel y delicado en que fué enterrado su corazón:

> *¡Colinas plateadas,*
> *grises alcores, cárdenas roquedas*
> *por donde traza el Duero*
> *su curva de ballesta*
> *en torno a Soria!...*

¿Qué elementos pueden distinguirse en la visión machadiana del campo de Castilla? Está, por una parte, la realidad misma de la tierra. El color y la figura del campo contemplado incitan los ojos y el alma del poeta y promueven las pinceladas de sensorialidad impresionista que acá y allá decoran la superficie visible del verso: "grises" alcores, álamos "dorados", "plomizos" peñascales, montes "de violeta". Todas estas notas elementales se ordenan dentro del mundo interior del artista en metáforas y adjetivaciones puramente líricas, edificadas, en último extremo, sobre el mundo de los recuerdos comunes a todos los hombres capaces del sacramento poético: "agria melancolía" de las ciudades viejas y decrépitas, "turbante de nieve y de tormenta" sobre las sierras, "olifante del sol", inevitable "temblor del alma" ante los hayedos y pinares...

Al lado de la elemental sensación de la tierra, directa o metafóricamente expresada, hállase la emoción que esa tierra tiene para la personal intimidad del poeta. ¿Podrá olvidar Antonio Machado que dentro de la tierra castellana, en ese campo santo que llaman El Espino, quedó para siempre un cuerpo de mujer, el cuerpo a través del cual le hablaba la otra mitad de su alma?

> *¿No ves, Leonor, los álamos del río*
> *con sus ramajes yertos?*
> *Mira el Moncayo azul y blanco; dame*
> *tu mano y paseemos.*

No todo es, sin embargo, sensación elemental y mundo
íntimo en este sentimiento poético del paisaje castellano.
Bajo las notas impresionistas y entre las efusiones líricas
vive la emoción del español. Como en Unamuno, como en
Azorín, una visión y una pasión de España y de su historia
se interponen entre la pupila del poeta y la tierra que
canta. ¿Podría convertirse la tierra en paisaje, podría llegar
a ser materia poética la materia telúrica si no fuese por la
virtud transfiguradora de esa visión y de esa pasión de
España? Oigamos la voz misma del cantor:

> *Castilla miserable, ayer dominadora,*
> *envuelta en sus andrajos, desprecia cuanto ignora.*
> *¿Espera, duerme o sueña? ¿La sangre derramada*
> *recuerda, cuando tuvo la fiebre de la espada?*
> ... ...
> *¿Pasó? Sobre sus campos aún el fantasma yerra*
> *de un pueblo que ponía a Dios sobre la guerra.*

¿Podría ser ese fantasma —la idea que de él tuvo Antonio
Machado— ajeno a la visión machadiana de los campos
sobre los que el fantasma erraba?

En lo más hondo del verso, dando la más elemental y
entrañable raíz a su poética significación, late, sin duda,
la personal sensibilidad lírica del poeta: el hombre que se
llamó Antonio Machado hubiera sido poeta educado en Madrid, en Manila o en Detroit. Pero entre los primeros momentos configuradores de esa personal e indefinida sensibilidad poética hállanse, prestando carne inmediata y visible
al hondo impulso cantor, una visión de la España presente,
una imagen de la España pretérita y un sueño de una
España futura; la visión, la imagen y el ensueño que alientan en el espíritu del hombre y poeta Antonio Machado.
Ese fantasma errabundo sobre la tierra de Castilla es el
agente configurador del sentimiento lírico de Antonio Machado ante las sierras, los llanos, las encinas y los álamos
del corazón de España:

> *¡Castilla varonil, adusta tierra,*
> *Castilla del desdén contra la suerte,*
> *Castilla del dolor y de la guerra,*
> *tierra inmortal, Castilla de la muerte!,*

diciones nativas, educación familiar, aprendizaje escolar, etcétera). Un ejemplo, tomado de Unamuno. Cuenta una vez don Miguel su recuerdo de la primera representación teatral a que asistió. "Me acuerdo —escribe— de una de las primeras noches en que fuí al teatro, acaso la primera, llevado a un palco por una familia amiga. Se representaba un drama, *Antonio de Leyva*, y sólo recuerdo a una dama, en traje antiguo, de luto, llorando a los pies de un caballero de calzas acuchilladas y valona. Y es la primera y hasta hoy la última vez que he visto a una dama llorar puesta de hinojos a los pies de un caballero." De aquel *Antonio de Leyva* infantil, el Unamuno adulto sólo es capaz de recordar la escena de la implorante dama ante y bajo el implorado caballero. ¿Por qué recuerda eso don Miguel y ha olvidado el resto? Algo podemos decir para responder a esta pregunta. Por lo pronto, lo que sigue: La vigorosa persistencia de ese recuerdo está determinada por la mayor *importancia* que, respecto a las restantes del drama, tuvo la escena recordada para el niño Miguel de Unamuno. La conservación de ese recuerdo es, por sí misma, una ventana para comprender la peculiaridad psicológica del Unamuno niño.

2. Debe tenerse en cuenta, por otra parte, que los recuerdos de la vida infantil son conservados por el adulto a través de todas sus experiencias biográficas. Esta "travesía biográfica" del recuerdo infantil —si se me permite esa expresión— trae consigo cierta selección de lo recordado, condiciona en algún modo el contenido de cada reminiscencia y determina poderosamente el tono sentimental con que aparece en la conciencia del adulto.

3. El recuerdo de la vida infantil es evocado y contemplado siempre *desde* una concreta y singular situación biográfica, aquella en que se encuentra el recordador en el momento de recordar. La peculiaridad de esa situación biográfica atrae y repele específicamente unos u otros recuerdos y da un último toque configurador al rostro de cada uno de ellos y a la índole del afecto con que es vivido.

He aquí dos ejemplos, extraídos de *Azorín*. Todo el mundo sabe que *Las confesiones de un pequeño filósofo* es un libro autobiográfico. En 1904, a los treinta y un años, evoca *Azorín* sus experiencias infantiles. Tomemos una. "Muchas veces, cuando yo volvía a casa —una hora, media hora después de haber cenado todos—, se me amonestaba porque *volvía tarde*. Ya creo haber dicho en otra parte que en los pueblos sobran las horas, que hay en ellos ratos interminables en que no se sabe qué hacer, y que, sin embargo, *siempre es tarde*." Este recuerdo infantil de *Azorín*, evocado desde la primera madurez del escritor, ¿no parece *elaborado* por la experiencia biográfica de José Martínez Ruiz desde los años infantiles hasta el instante en que los rememora? Unas líneas escritas en el epílogo del libro nos lo demuestran con innegable claridad: "Esta tarde, mientras paseaba por la huerta con algunos antiguos camaradas, veía a lo lejos la enorme ciudad (Yecla), agazapada en la falda del cerro gris, bajo el cielo gris. Discurríamos silenciosos. Cuando llegaba la noche, uno de los acompañantes ha dado un golpe en el suelo con el bastón, y ha pronunciado estas palabras terribles:

" —*Volvamos, que ya es tarde.*

"Yo, al oírlas, he experimentado una ligera emoción. *Es ya tarde*. Toda mi infancia, toda mi juventud, toda mi vida han surgido en un instante." La vivencia azoriniana del tiempo, elaborada en su alma a lo largo de no pocos años, es la que determina ese modo de recordar aquel "siempre es tarde" oído en los días de la infancia.

Otro ejemplo. Recuerda el *Azorín* de 1940 su llegada a Madrid en el otoño de 1895. Sale de su modesto pupilaje y pasa por la puerta del teatro de Apolo. "De pronto, observo algo que me interesa profundamente. Cuatro o seis caballeros forman un grupo. Tiene uno de ellos unas blancas cuartillas en la mano y va leyendo algo, prosa o verso, que los demás escuchan atentos... Tienen talento, ingenio, estos hombres... Todo está con ellos y nada está conmigo. Andando el tiempo, puedo ser uno de ellos, y ahora, desconocido, sin valimientos, sólo tengo mi cuartito con el pobre menaje y con la ventana en el techo, que deja caer la luz en las cuartillas. En otras cuartillas. En otras cuartillas que no son las cuartillas que el escritor famoso lee a sus compañeros en la puerta de Apolo, entre el bullicio de la gente, a la luz de los grandes globos blancos, en un ambiente de fluidez, de señorío y de modernidad." Esas tres notas descriptivas —fluidez, señorío, modernidad— ¿pertenecen a la impresión que en 1895 produce aquella escena en el alma de *Azorín* recién llegado? ¿O son vivencias afectivas añadidas al recuerdo por la inevitable nostalgia de los sesenta y cinco años, y por el hecho de evocar la visión de aquellos caballeros desde la situación de "ser uno de ellos"? Más adelante, cuando describa la llegada a Madrid de los hombres del 98, procuraré demostrar la verosimilitud de esta segunda hipótesis.

Esta ligera meditación acerca de los recuerdos infantiles nos pone frente a una prometedora pesquisa: un análisis del recuerdo que de la tierra nativa conservan los escritores del 98. En el modo de recordar la tierra a que abrieron sus ojos veremos expresarse una parte de su alma. ¿Habrá alguna semejanza entre todos los singulares modos de recordar? ¿Hallaremos algún fundamento para iniciar, con el análisis de ese recuerdo, nuestro estudio del parecido generacional entre los hombres del 98?

Aunque sea anteponiendo el resultado de la investigación a la investigación misma, no vacilo en dar aquí una respuesta afirmativa a las dos últimas interrogaciones. En mi entender, el recuerdo que los hombres del 98 tienen de su tierra natal hállase integrado —siempre o casi siempre— por los tres siguientes elementos constitutivos: 1. La tierra misma, interpretada como una realidad tiernamente querida, incontaminada, consistente, y vista siempre en polar conexión amorosa con la tierra de Castilla. 2. El hombre habitante de esa tierra —campesino o pastor—, en el cual se ve un elemento perturbador del paisaje. 3. Un espectador o considerador del paisaje en cuestión, personaje imaginario las más de las veces, en el cual proyecta una parte de su propia personalidad y de su propia utopía el autor del relato.

Analizaré en primer término los recuerdos de Unamuno. Cuando muchacho, gustaba a Miguel de Unamuno evadirse de su nativo Bilbao, vagar, entre complacido y anhelante, por los montes próximos a la villa y tenderse en la suave ladera del Ganecogorta o sobre la clemente cima del Pagazarri. Allí, apoyado en la tierra materna de Vizcaya, envuelto casi por ella, sentía Miguel que se le metía en el alma la serena paz del paisaje. Era una vaga embestida de campo y de cielo, dulce y tibia como un trago de leche caliente. Tomemos *Paz en la guerra:* "En la cima estuvieron tendidos un buen rato, casi sin hablar, gozándose Pachico —Francisco Zabalbide, esto es, el muchacho Miguel de Unamuno— en la visión alegre de los árboles, de las nubes, del campo todo bañado en luz, visión tan distinta de la triste de los objetos domésticos, hechuras y esclavos del hombre. Aparecía de mosaico el panorama, lleno de retazos de cuadros de labranza, con toda la gama del verde, desde el desteñido y amarillento de la mies segada hasta el negruzco y sucio de las arboledas, serio todo ello... Fluía de todo calma serena, y el silencio les tenía silenciosos."

Nótese en el pasaje transcrito el evidente contraste que en el alma de su autor existe entre la pura e intacta alegría engendrada por la contemplación del objeto natural —el árbol, la nube— y la tristeza de los objetos construídos por la mano del hombre. Ese fugitivo contraste sentimental es la clave de la niñez de Unamuno, tal como él la recuerda siendo adulto y nos la cuenta a los treinta y tres años, en *Paz en la guerra.* ¿No es esta novela, en efecto, la historia de un amargo descubrimiento, el descubrimiento de que la vida histórica de los hombres es lucha y dolor?

Miguel de Unamuno, transmutado en Pachico Zabalbide, "ha sacado —nos dice, al término de la novela— provecho de la guerra, viendo en la lucha la conciencia pública a máxima tensión". Pero frente a esa inevitable guerra, aún le queda la paz del paisaje, el descanso en la dulce y serena tierra nativa. Ve "en la paz del bosque la alianza del grande con el pequeño, del vencedor con el vencido, la humildad de éste, la miseria del parásito". Escala Pachico la propicia montaña y llega hasta la cumbre: "Tiéndese allí arriba, en la cima, y se pierde en la paz inmensa del augusto escenario, resultado y forma de combates y alianzas a cada momento renovados entre los últimos irreductibles elementos... Tendido en la cresta, descansando en el altar gigantesco, bajo el insondable azul infinito, el tiempo, engendrador de cuidados, parécele detenerse... Olvídase del curso fatal de las horas y, en un instante que no pasa, eterno, inmóvil, siente en la contemplación del inmenso panorama la hondura del mundo, la continuidad, la unidad, la resignación de sus miembros todos, y oye la canción silenciosa del alma de las cosas desarrollarse en el armónico espacio y el melódico tiempo."

El mozo Miguel de Unamuno acaba encontrando un sentido armonioso y consolador a esta acerba y perdurable lucha que es la vida de los hombres. Mas ¿cómo lo logra? Volviendo a su paisaje nativo y fundiéndose con él, haciéndose uno con el nudo paisaje, con la materna tierra, y aprendiendo en ella la paz natural entre el mar y la montaña. Despiértasele entonces la comunión entre el mundo que le rodea y el que encierra en su propio seno: llegan a la fusión ambos; el inmenso panorama y él... se hacen uno y el mismo... Otorga el paisaje la paz al hombre, en cuanto el hombre mismo, aislado de los otros hombres, logra hacerse paisaje; tal es la conclusión de Pachico Zabalbide. Cuando el "paisaje se le hace a uno alma", hemos oído decir a su doble e inventor don Miguel de Unamuno, en años de senectud y nostalgia.

Así ante cualquier paisaje. Sube una vez don Miguel a las alturas de Gredos. "¡Visión eterna de Gredos!", dirá mucho más tarde, sediento de España, en el exilio parisiense. Esta vez a que aludo, en 1911, canta la emoción de su espléndida presencia: "¡Qué silenciosa oración allá, en la cumbre, al pie del Almanzor, llenando la vista con la visión dantesca del anfiteatro rocoso!... Pero hubo que bajar; hubo que bajar a estos valles y llanuras en que viven los hombres en sus pueblos, alimentándose de sus miserias, y, sobre todo, de su incurable ramplonería." Y en las páginas de *En torno al casticismo*, tras haberse exaltado con el paisaje "monoteístico" de Castilla, habla así de los hombres que habitan ese paisaje: "A esa seca rigidez, dura, recortada, lenta y tenaz, llaman naturalidad; todo lo demás tiénenlo por artificio pegadizo o poco menos. Apenas les cabe en la cabeza más naturalidad que la bravía y tosca de un estado primitivo de rudeza." El habitante del paisaje español empieza por ser un perturbador de la *natural* pureza de ese paisaje, como Adán pecador en un Paraíso todavía inmaculado.

Sólo son favorablemente juzgados los habitantes del paisaje ibérico cuando llegan a hacerse parte integrante de él; cuando, por usar las propias expresiones de Unamuno, dejan de ser sujetos activos de la *historia* y se convierten en titulares de la *intra-historia*. En 1923 visita Unamuno, invitado por José María de Cossío, el valle de Tudanca. Pocos días después escribe en el llano palentino sus impresiones y opone la tierra *histórica* del Carrión a las laderas *intra-históricas* del Nansa. "¿Historia? Allí todo es prehistórico, o mejor, para decirlo con término que puse en circulación, todo es intra-histórico. Donde el río Carrión discurre llanamente por la estepa, la historia, la epopeya, la leyenda romancesca flotan sobre el haz de las aguas calladas del río de Jorge Manrique; pero donde el río Nansa se despeña cantando, entre peñascos, es algo más hondo su cantar. Esto es más humano; aquello más telúrico. Por este labrador que se curte al sol ha pasado la historia; sobre aquel pastor montañés a quien ciñe la bruma de las cimas se desliza la cividad. Y como la cría de su vaca a la ubre materna, él se pega a sus montañas." Igual dignidad merecen, a la luz del juicio unamuniano, los "campesinos naturales" de Paradilla del Alcor, un rincón de los Campos Góticos palentinos: "En ese rincón de los Campos Góticos asienta el campesino natural. Allí ni postes de telégrafo, ni esos armatostes, pintados de rojo, que han de conducir la energía eléctrica del Duero. Porque todo eso de la mecánica está cerrándole al hombre modernizado la visión de la vida natural."

El tierno y nostálgico amor de Unamuno a la tierra de su provincia nativa se une con fraterna y concorde atadura a su amor por la Castilla descubierta e inventada. Ya varón, vuelve una vez desde Vizcaya, suave cuna de su niñez, hacia la Castilla que le da habitación y le ensalza hacia el cielo

> *en la rugosa palma de su mano.*

¿Qué emoción despierta en su alma adulta —1910, cuarenta y seis años de madurez poética— este tránsito acostumbrado y evocador?

> *Madre Vizcaya, voy desde tus brazos*
> *verdes, jugosos, a Castilla enjuta,*

dirá a la tierra de los recuerdos infantiles. Y al transponer las Peñas de Orduña, en la linde gris que separa la húmeda verdura de la parda sequedad, canta la unión nupcial que

en los senos de su alma contraen las dos tierras cardinales de su vida, pese a la terca, casi insalvable distancia
entre ellas:

> Es Vizcaya en Castilla mi consuelo
> y añoro en mi Vizcaya mi Castilla.
> ¡Oh, si el verdor casara de mi suelo
> y el mar que canta en su riscosa orilla
> con el desnudo váramo en que el cielo
> ante un sol se abre que desnudo brilla!

No creo que sea muy distinta la actitud espiritual de *Azorín* ante el recuerdo de su tierra. Tal vez sea *Azorín* el más
inventor entre todos los inventores de Castilla. Nunca olvi-
dará, sin embargo, el fino, aromoso, límpido campo del Levante alicantino; del "campo alicantino castizo", dice él, para
distinguirlo del que por el Norte se vierte hacia la valen-
ciana vega del Júcar y del que por el Sur linda con el mar
y con la ribera murciana del Segura. "Levante —escribía
Azorín en 1914— se abre ante la vista del viandante con
sus colinas suaves, sus llanos de viñedos y sus pinares olorosos. En los pueblecillos, los huertos se destacan en los ale-
daños con sus laureles, sus adelfas y sus granados. El aire
es tibio y transparente; en la lejanía espejea el mar de intenso azul." El delicado cariño con que *Azorín* contempla las
cosas, las menudas cosas en torno a sus ojos, adquiere siempre un dejo de intimidad familiar, de tibia y antigua amis-
tad cuando habla del mundo levantino; léanse, como suficiente argumento probatorio, los capítulos titulados "Llegada" y "Monóvar" en el libro *Superrealismo*. No es tampoco
un azar que su talento de paisajista halle tema inaugural
en el campo ancho y difícil de Yecla, el pueblo de *La voluntad*. ¡Con qué entrañable amor pinta José Martínez Ruiz,
en las primeras páginas de la novela, el diario nacimiento
de la ciudad, desde la luz indecisa del antelucano a la luz
cierta del día!

En el alma real del escritor *Azorín*, como en la vida semi-
inventada de Antonio Azorín, héroe sin heroísmo de *La voluntad*, se cruzan y entretejen la huella del Levante nativo
y la huella de la Castilla adoptada; inarmónicamente en la
vida del irresoluto personaje, concorde y amorosamente en
el alma de su creador. Las montañas del Norte son, para el
escritor *Azorín*, "húmedas, hoscas e indefinidas"; las montañas de Levante y de Castilla, "finas, definidas, radiantes".
Pocas líneas más adelante añade: "Montañas finas, claras,
olorosas y radiantes de Castilla, de Alicante y de Cataluña,
vosotras tenéis todo mi afecto, todas mis simpatías." Levan-
tinos y castellanos son, en fin, los paisajes "de aire sutil y

fuerte" en que "los aromas se expanden con toda libertad".
Véase en los párrafos transcritos un paradigma del fraternal
enlace que la visión de Levante y la de Castilla tienen en el
alma de *Azorín*. La trabazón sentimental de Vizcaya y Castilla en el alma de Unamuno halla un indudable equivalente
en este íntimo desposorio estético de Levante y Castilla en el
espíritu de *Azorín*.

Dulce o acerbo, suave o áspero, claro o adusto, el paisaje
ibérico "en sí" es en *Azorín*, como en Unamuno, una realidad pura y virginalmente bella. Mas, también como en Unamuno, el hombre alojado en ese paisaje imprime en su figura
una nota agria y discordante: la naturaleza del ser histórico
—el hombre— perturba y contamina la mansa o tremenda
candidez de la naturaleza de los seres cósmicos o biológicos:
el cielo, las piedras, los árboles. ¿Quién no recuerda la impresión de intacta pureza que produce en el alma del lector
la descripción azoriniana del campo del Pulpillo, en las páginas de *La voluntad*? Es la tierra dura, seca y áspera, y así
se complace en hacerla ver el paisajista; pero lo es pura,
limpia, incontaminadamente, y en esa limpidez de líneas y
colores consiste su recién hallada hermosura.

Sobre la haz de esa terrible belleza pronto aparece el hombre, un labriego. Con él nace la acritud: "El Abuelo sinteti-
za al labrador manchego. Es sencillo como un niño; es sanguinario, eaxsperado..., no tiene amor al árbol..." Aún es
más expresivo *Azorín* en las páginas terminales de la novela:
"El carácter duro, feroz, inflexible, sin ternura, sin superior
comprensión de la vida del pueblo castellano se palpa viviendo un mes en un pueblo. Esas caras pálidas que se asoman
tras de los cristales en los viejos poblachones manchegos, es-
piando al forastero que pasa solo; esas sonrisas piadosas y
meneos de cabeza compasivos ante la desgracia..., todas esas
mil formas pequeñas y miserables de la crueldad humana,
¡qué castellanas son!" En cuanto entre el escritor y la
tierra se interpone el hombre, el hombre real, el labriego, el
pastor o el menestral de carne y hueso, la visión de esa tierra toma pronto un sabor medularmente agrio o amargo. El
hombre, ya se ve, mancilla y desconcierta la límpida serenidad del paisaje ibérico, disuena dentro de aquella "canción silenciosa del alma de las cosas" de que nos habló
Unamuno.

¿Acaso no tiene la misma contextura intelectual y afecti-
va la visión poética de la tierra española en la obra de Antonio Machado? También en los senos de su alma se abrazan
los sucesivos vestigios de la Andalucía natal y de la Castilla
adoptiva y adoptada. Recuérdese el comienzo de su famoso
autorretrato:

Mi infancia son recuerdos de un patio de Sevilla,
y un huerto claro donde madura el limonero;
mi juventud, veinte años de tierra de Castilla...

A Castilla, "Castilla la gentil", la ha cantado siempre, desde el comienzo de su creación poética hasta los días sin
lumbre ni cobijo con que su vida acaba. Mas cuando se deja
medio corazón enterrado en la áspera y sutil tierra de Soria,
le manan del fondo de su alma, poéticamente transfigurados
por la distancia y por su peculiar sensibilidad artística, los
recuerdos aplomados y silentes de la tierra nativa y de la
infancia lejana:

... en estos campos de mi Andalucía,
¡oh tierra en que nací!, cantar quisiera.
Tengo recuerdos de mi infancia, tengo
imágenes de luz y de palmeras,
y en una gloria de oro,
de lueñes campanarios con cigüeñas,
de ciudades con calles sin mujeres,
bajo un cielo de añil, plazas desiertas...

El espíritu del poeta se adentra en sus recuerdos infantiles
y descansa en ellos como sobre una tierra clara y propicia.
La huella nostálgica de esa dulce y dorada Andalucía se
hermana con la memoria reciente del campo castellano,
grave, fino, duro, lleno de ricos y delicados matices cromáticos. No es la tierra de Castilla que ve Antonio Machado
un edén deleitoso y cómodo:

no fué por estos campos el bíblico jardín,

nos dice textualmente. A cambio de eso, el campo castellano
es una realidad consistente, limpia, intacta.
No puede decirse otro tanto de los hombres que descubre
Machado sobre el puro paisaje de Castilla. ¿Quiénes son, en
efecto, los que, en los versos de Antonio Machado, pueblan
la paz terrible y delicada del páramo soriano? Hombres son,
hombres llenos de pasión bronca y enconada:

Abunda el hombre malo del campo y de la aldea
capaz de insanos vicios y crímenes bestiales
que bajo el pardo sayo esconde un alma fea,
esclava de los siete pecados capitales.
Los ojos siempre turbios de envidia o de tristeza,
guarda su presa y llora lo que el vecino alcanza;
ni para su infortunio ni goza su riqueza;
le hieren y acongojan fortuna y malandanza.

Pertenecen estos atroces versos al poema titulado "Por tierras de España". No es, sin embargo, la emoción de la tierra
de España lo que Machado ha puesto en él, sino su juicio
acerca del campesino altocastellano:

> *El hombre de estos campos...*

son, muy significativamente, las primeras palabras del primer verso. La presencia del hombre sobre la tierra le hace
llamarla "páramo maldito", en flagrante contraste con su
propia visión de esa misma tierra cuando no se interpone la
vida humana entre su superficie y el ojo del poeta:

> *¡Primavera soriana, primavera*
> *humilde, como el sueño de un bendito,*
> *de un pobre caminante que durmiera*
> *de cansancio en un páramo infinito!,*

dice en "Orillas del Duero". Basta poner una junta a otra
estas dos impresiones del campo soriano, de tan contrario
tono sentimental, para advertir sin esfuerzo la radical perturbación que a los ojos de Antonio Machado —como a los
de Unamuno y *Azorín*— introduce el labriego, el hombre, en
la pura realidad del paisaje que habita.

> *Mucha sangre de Caín*
> *tiene la gente labriega,*

léese en "La tierra de Alvargonzález";

> *... un trozo de planeta*
> *por donde cruza errante la sombra de Caín,*

se dice de la altiplanicie ibérica en el poema "Por tierras
de España".

Pasemos a Baroja. Acerca del entrañable y mil veces proclamado amor de Baroja hacia la suave tierra vasca no es
preciso insistir. Sobre el amor de Baroja por la áspera tierra
castellana, tampoco: baste recordar los textos de *Camino de
perfección* que antes transcribí, y muy especialmente su espléndida visión del Guadarrama. Estos dos amores a dos
paisajes españoles tan diversos únense armónicamente en el
alma del novelista. He aquí una elocuente confesión de Baroja en *Juventud y egolatría*, hermana en prosa de la que en
verso hemos oído hacer al vasco Unamuno: "Tengo dos pequeñas patrias regionales: Vasconia y Castilla, considerando
a Castilla, Castilla la Vieja. Tengo además dos balcones para

mirar al mundo: uno, de casa, en el Atlántico; otro, de cerca
de casa, en el Mediterráneo. Todas mis inspiraciones literarias proceden de Vasconia o de Castilla. Yo no podría escribir una novela gallega o catalana. Entre vascos y castellanos es donde me gustaría tener mis lectores...” Apenas
cabe una declaración más paladina de la polar conexión amorosa que en el alma de Baroja tienen la tierra castellana y la
tierra vasca. Una y otra, dura y ardiente aquélla, suave y
tibia ésta, son tal vez los primordiales alimentos de su alma.

La tierra ibérica, vascongada o castellana, es para Baroja,
como para Unamuno, *Azorín* y Machado, una realidad consistente, pura, incontaminada. Espoleada por un hondísimo
anhelo o apaciguada por un reposo dulce, el alma del contemplativo Baroja siente ante ella una íntima sensación de
plenitud humana. ¿Podrá decirse lo mismo cuando sobre esa
tierra surja, perceptible y operante, la vida de los hombres
que la habitan?

Por lo que al paisaje castellano toca, *Camino de perfección* nos colmará las medidas de la respuesta. Topa Fernando
Ossorio con unos campesinos de Manzanares: “Eran tipos
clásicos... —comenta Baroja—. Las caras terrosas, las miradas de través, hoscas y pérfidas.” Más duras son todavía
las expresiones del novelista frente a los habitantes de otro
pueblo serrano: “aquella gentuza innoble y miserable, sólo
capaz de fechorías cobardes”. No salen mejor librados los
moradores de Yécora: “gente de vicios sórdidos y de hipocresías miserables”. La abierta y sincera crudeza del lenguaje barojiano no deja lugar a dudas respecto a la verdad
de la conclusión que más arriba adelanté: para los escritores
del 98, el habitante de los campos ibéricos es, ante todo, un
perturbador del paisaje.

Más clemente es el juicio de Baroja frente a los habitantes de su paisaje natal; pero, con todo, los campesinos, pas-
tores o contrabandistas de la montaña vasca distan mucho
de esa cuasiarcádica pureza con que son pintados los personajes rústicos en las novelas de Pereda o de Palacio Valdés. Entre los campesinos de Pereda no cabe la tragedia, y
los de Palacio Valdés sólo llegan a vivir trágicamente cuando
la vida civilizada penetra en el campo asturiano. En claro
contraste con las criaturas literarias de entrambos, los habitantes del campo vasco que aparecen en las ficciones na-
rrativas de Baroja llevan en los senos de su alma una
inquietud violenta y trágica: basta pensar en los agonistas
de *La casa de Aizgorri* o de *El mayorazgo de Labraz*. Vascos o castellanos, los hombres de Baroja, desasosegados, pe-
regrinos, van trazando con su vida una estela agria y dis-
armónica sobre la mansa e intacta dulzura de la tierra que
les sustenta.

CAPÍTULO III

EL SABOR DE LA HISTORIA

Comienza a formarse la personalidad de todos los hombres del 98 en ese cómodo y engañoso remanso de la vida española que subsigue a la Restauración y a la última guerra carlista: años de 1880 a 1895. Los españoles, seducidos por la alegre apariencia de la paz anhelada, la reciben como un tesoro, más merecido por gracia que conquistado con esfuerzo, y se conducen como si en verdad hubiesen resuelto el problema que España tenía latente en su seno desde 1812, y tal vez desde antes. No resisto a la tentación de copiar la animada página en que Melchor Fernández Almagro, tan excelente historiador de la vida española contemporánea, describe el ambiente de aquella España: "Una inconsciencia punto menos que infantil regía el ir y venir apasionado de los españoles en relación con las cuestiones que suscitaba la actualidad inmediata. Nadie miraba a lo lejos. Inconsciencia y optimismo. Pasada la batahola de la Revolución y la República, salvado el momento difícil de la muerte de Alfonso XII y sumido el país en enorme calma chicha, el gran niño que era España se entretenía en discutir a propósito del crimen de la calle de Fuencarral o, poco más tarde, del submarino inventado por Isaac Peral. El cuadro de nuestros grandes hombres, para mayor felicidad, estaba cubierto dos veces. De aquí que los españoles se permitiesen el lujo de tener dónde elegir, cifrando su fe en el ídolo público de alguna de las dos series puestas en juego, para satisfacción de toda necesidad banderiza: o Cánovas o Sagasta; o Galdós o Pereda; o Calvo o Vico; o *Lagartijo* o *Frascuelo*... Libres de cuidados, las gentes se consagraban a sus ocios predilectos. Triunfaban, con los toreros y los cantantes de ópera, los oradores, los poetas fáciles y los prosistas amenos. Los artículos de fondo sonaban muy bien, y las novelas se multiplicaban con lozanía sin precedente... Mucho énfasis en torno. Artículos brillantes de Julio Burell. Cuadros de historia. Dramas de Echegaray. Ripios punzantes de Salvador María Granés. Como el glotón y el sátiro en las fábulas atelanas, juegan papel indiscutible en las piezas cómicas de la época la patrona y la suegra, el cesante y el maestro de escuela... Caricaturas de *Mecachis* y de Cilla. Buen humor en todas partes... Eusebio Blasco envía desde París crónicas llenas de españolería. Versos cortesanos de Grilo. Peña y Goñi alterna la crítica musical y la taurina. Palmas al Guerra. Wagner está a punto de llegar. Las muchachas de talle de avispa y mangas de jamón cantan habaneras. Chotis de Chueca en los organillos. Pronto se convertirá su *Marcha de Cádiz* en himno nacional... ¡Dichosa edad y años dichosos aquéllos!", concluye, entre irónico y amable, Melchor Fernández Almagro. No puede extrañar que Galdós llame "bobos" a los años que precedieron al desastre, ni que, poco más tarde, Ortega y Gasset vea en la Restauración "un panorama de fantasmas" y en Cánovas, *Deus ex machina* de aquella España, "el gran empresario de la fantasmagoría".

El mismo sentido tiene la desoladora pintura que de la España subsiguiente a la Restauración hace Menéndez Pelayo en las páginas finales de la *Historia de los heterodoxos* y, años más tarde, en su contribución al centenario de Balmes. La visible existencia de "algún aumento de riqueza, algún adelanto material" —don Marcelino los reconoce de buen grado— no alcanza a compensar, ni siquiera a mitigar, las sombrías, terribles pinceladas con que el fervoroso español retrata la política, la vida intelectual, la prensa, la religiosidad, el rostro entero de la España oficial en torno a sus ojos.

Pese a la fácil alegría de la superficie y a la innegable paz, España es un cuerpo sin consistencia histórica y social. La unidad de sus miembros y estamentos es más ficticia que real. El Pacto de El Pardo y la posibilidad de concordia oratoria y de exaltación patriótica que el Parlamento ofrece no impiden el progreso de los nacionalismos regionales, ni saben oponerse a la creciente, irrestañable escisión entre los españoles —la traen ahora el auge sucesivo de la subversión obrera y el nuevo republicanismo—, ni evitan el alejamiento y la pérdida de las posesiones ultramarinas, últimos vestigios del antiguo Imperio. El modesto brillo de la vida española no pasa de ser el brillo engañoso del oropel, por usar una metáfora muy del gusto de entonces. Faltaba en el alma de los españoles la conciencia de un posible destino histórico y la firme voluntad de adquirir un nivel estimable y una fecundidad eficiente entre los pueblos que con su concierto deciden la historia universal. Y la misma deficiencia no era tan nefasta como la alegre y chabacana ligereza con que se la desconocía.

¿Podían los españoles de entonces despertar a la lucidez y aspirar a la eficacia? Dejemos la pregunta sin respuesta. Por lo que a mí toca, y sin entrar en razones ni en recetas, tendería a contestarla afirmativamente. Pero mi propósito actual no es conjeturar eventos futuribles, sino comprender nuevos pretéritos. Debo limitarme, por tanto, a percibir y denunciar que algunos españoles esclarecidos sintieron al menos la impresión de vacío, de flaccidez, que traía a sus almas su propia situación histórica de españoles. Esa impresión será expresada con distintos nombres: es la "abulia" que Ganivet diagnostica, el "marasmo" que angustia a Unamuno, la "depresión enorme de la vida" que *Azorín* advierte, la visión de una España

vieja y tahur, zaragatera y triste,

que asquea a Machado, el inconsciente y alegre "suicidio lento" que con tan enorme tristeza —una tristeza de gigante vencido— delata Menéndez Pelayo. ¿Qué tiene que ver el necio contento de aquellos españoles —1885, 1890, 1895— con la ilusión grave y creadora de los pueblos acordes con su historia y con el tiempo en que viven?

Porque, no lo olvidemos, el problema íntimo de la España ochocentista, desde 1812, es la irreductible discrepancia entre unos ardorosos tradicionalistas que no saben ser actuales y unos progresistas fervientes que no aciertan a hacerse españoles. Los españoles acordes con la historia de España no aciertan a vivir en su tiempo; los que pretenden vivir en su tiempo no saben afirmar la ambición ni la historia de España. A la hora de la Restauración, Cánovas y Sagasta dan menguado cumplimiento al programa de Sandhurst y pretenden resolver aquella medular discordancia mediante un artificio casero, construído de tres piezas: los partidos políticos turnantes —se hace del "turno" un sucedáneo barato de la "unidad"—; un sufragio universal canalizado con habilidad y campechanía por medio del "pucherazo" y por la institución del cacicato rural —¡qué envilecimiento, hasta desde un punto de vista lingüístico, depender históricamente de algo llamado "pucherazo"!—; y, en fin, una laxa libertad para la expresión literaria y política, a fin de que la gente española "se desahogue por el pico", como ella misma dice. Y la paz, la anhelada paz, antes calma chicha que paz verdadera y fecunda, sólo alterada por leves algaradas políticas y por los primeros síntomas visibles de la llamada "cuestión social": la *custión social*, dicen los guardias urbanos en los sainetes y zarzuelas chicas que por entonces solazaban el fácil humor del público burgués.

En el seno de esa calma zaragatera e inconsistente se forma la personalidad de los hombres del 98. La infancia de cada uno está determinada por las peculiaridades propias de su vida familiar y de la ciudad en que transcurre. Todos son hijos de familias medioburguesas y todos hacen el pobre bachillerato que entonces ofrecía el Estado español a sus pacientes súbditos. En lo demás, todos difieren. Ganivet se apedrea en Granada con los *greñudos*, descubre a Séneca en los tomos de Rivadeneyra, pasea y dialoga desde la ciudad a la Fuente del Avellano, estudia Filosofía y Letras, se licencia en Derecho, lee y lee en soledad. En Bilbao, Unamuno asiste al Instituto Vizcaíno de la calle del Correo, se deleita ascendiendo al Pagazarri o coronando Archanda, sueña futuros en la basílica del Señor Santiago

—*aquí soñé los sueños de mi infancia,*
de santidad y de ambición tejidos,

dirá luego, recordando sus oraciones infantiles— y se mete entre pecho y espalda a Balmes y a Donoso Cortés, a Kant y a Hegel. *Azorín* aprende sus primeras letras en la escuela de Monóvar, a la que asistía, según testimonio propio, "entre confiado y medroso, cual lobezno recién cazado"; cursa luego su bachillerato en los Escolapios de Yecla, y en Yecla conoce al padre Lasalde y dialoga con "el maestro Yuste", persona real, según nos revela Cruz Rueda; luego, en Valencia, se gradúa de abogado, intima con Montaigne, inicia su producción literaria y lee un Leopardi y un Baudelaire, ya usados, que ha comprado en el baratillo de la calle de Querol. Baroja, a remolque de las vicisitudes administrativas de su padre, pasea por San Sebastián, Madrid y Pamplona su incipiente vida de "hombre humilde y errante", descubre la muerte de la vieja Era del Mico, y en el Campo de Guardias sueña con ser héroe de Julio Verne en una isla desierta, y, consecuente con la ambición que revelan sus propios ensueños, se aburre en las clases grandilocuentes de Letamendi. Valle-Inclán, niño aún, lee y sueña en Villanueva de Arosa, hace su bachillerato en Pontevedra y Santiago, y, frente a las páginas de Pastor Díaz, la Pardo Bazán y Jacinto Octavio Picón, se pregunta si él, Ramón del Valle y de la Peña, no será capaz de escribir mejor que quienes entonces gobiernan las letras castellanas. Antonio Machado deja pronto su Sevilla nativa —el "huerto claro donde madura el limonero" de su semblanza autobiográfica— y se educa en la Institución Libre de Enseñanza. Ramiro de Maeztu, en fin, juega en Vitoria y prepara su primera comunión bajo el magisterio de don Emeterio de Abechuco, el párroco de la iglesia de San Miguel.

¿Qué mensajes envía la Historia a todos estos hombres, mientras sus almas despiertan a vida propia en el seno de aquella confiada bonanza? ¿Qué estímulos históricos hacen estremecer su mente recién nacida y su incipiente corazón? Adelantaré mi concisa respuesta a estas dos interrogaciones: Los primeros contactos de su alma con la historia nacional en curso —en cuanto a ellos tenemos testimonio biográfico— les llevan una triste impresión de oquedad, discordia y amenaza. Recojámosla en la vida y en la obra de cada uno de ellos.

El primer contacto de Miguel de Unamuno con la historia de España fué su asistencia infantil al sitio de Bilbao por los carlistas, el año 1874. Tenía entonces diez años escasos, y como niño de diez años vivió aquel decisivo acontecimiento de su experiencia. Fué el sitio para él un suceso maravilloso, espléndido. "Empezó para mí —dice, recreando a los cuarenta y cuatro años estados de ánimo vividos en su infancia— uno de los períodos más divertidos, más gratos de mi vida. En los más recónditos senos de mi conciencia aparece el bombardeo de mi villa como edad heroica y remotísima..." No ha quedado aquí, sin embargo, la experiencia unamuniana del sitio de Bilbao. Al cabo de un par de páginas recuerda la entrada de las tropas libertadoras con estas palabras, tan poéticas y significativas: "presencié la entrada de las tropas libertadoras entre lágrimas y vítores. Es uno de esos espectáculos que bajan al fondo del alma de un niño y quedan allí formando parte ya de su suelo perenne, de su tierra espiritual, de aquella a que los recuerdos, al caer como hojas secas del otoño, abonan y fertilizan para que broten nuevas hojas primaverales de visiones de esperanza".

El recuerdo del sitio de Bilbao permanecerá siempre entre los más hondos y fértiles de cuantos componen la experiencia viva de don Miguel de Unamuno. ¿Seguirá vistiendo ese recuerdo su inicial figura? ¿Será siempre esa estampa heroica, tan llena de color, tan incitadora de ilusiones? Si hubiese sido otra la historia de España que la mocedad de Miguel de Unamuno descubre y vive, tal vez habría perdurado en el recuerdo el rostro sentimental de la experiencia originaria. ¿Puede imaginarse que en el alma de los muchachos asistentes a la oración de Abraham Lincoln ante los muertos de Gettysburg —por citar un ejemplo tomado de otra guerra civil— se hiciese luego pálido y agrio el recuerdo de ese patético suceso?

Pero la historia de España posterior a 1874 no tiene el sesgo ascendente que tiene la historia de los Estados Unidos posterior a 1863. Miguel de Unamuno, el niño ilusionado de aquella jornada, *verá* en ella, años más tarde, una realidad distinta de la que su imagen infantil sugiere. A los treinta y tres de su vida escribe la novela *Paz en la guerra*. En ella pinta sus propias experiencias infantiles, las mismas que poco después relatará en *Recuerdos de niñez y mocedad*: "Los niños eran los que gozaban con el retemblar de los trenes de batir sobre la calle, con el desfile de cañones..., con los trajes, con los galones, con las banderas, con los colorines." Junto a la pintura de lo que el niño *recuerda*, léase, sin embargo, lo que *conjetura* el adulto sobre la verdadera realidad de aquella escena: "El ejército libertador, descalabrado y hecho una lástima, entró

por el Puente Viejo... Pasaban con caras pálidas de fatiga
entre otras pálidas de miseria y con el sello de las tinie-
blas, y nada de entusiasmo loco, sino algunos vivas, mucha
solicitud y corrientes de mutuo cariño compasivo. Cerníanse
sobre la alegría un inmenso luto y la dulce dejadez soño-
lienta de la convalecencia. Diríase que acababan de salir de
un doloroso sueño. Pesaba sobre todos una ardorosa sed
de descanso."

El contraste entre el tono sentimental de las dos descripciones no puede ser más evidente. La realidad objetiva
del cuadro descrito es en ambas la misma; difiere sensiblemente, en cambio, la interpretación de esa realidad por el
hombre que la recuerda. En el recuerdo infantil aparece
circundada por un nimbo heroico e incitante; en la elaboración ulterior de ese recuerdo muéstrase transida del dolor
triste, fatigado, que tienen las almas a la vista de lo que
pudo ser y no fué. Un lento desengaño se ha interpuesto,
no hay duda, entre las dos versiones del recuerdo. Y la
causa eficiente de tal desengaño ¿no será la progresiva certidumbre de ver malograda la guerra española a que la
escena pertenece? Las páginas finales de *Paz en la guerra*
certifican esta conjetura biográfica. Pachico Zabalbide —esto
es, el muchacho Miguel de Unamuno— logra con esfuerzo
llenar de esperanza su joven corazón, herido al nacer por
el dolor de un pueblo hendido y sangriento. La paz del
paisaje nativo ha logrado infundirle en las venas, más en
las venas que en el alma, una esperanza polémica, sedienta
de lucha y de acción. Preguntémonos de nuevo: ¿no será
el malogro de esa esperanza histórica la causa del contraste entre la exultante imagen infantil y la tibia ceniza del
recuerdo adulto?

Más livianas son las primeras experiencias históricas de
Azorín; igualmente agrio, no obstante, el rostro con que
aparece su recuerdo de la infantil experiencia. José Martínez Ruiz nos cuenta en *La voluntad* la impresión de Antonio Azorín viendo en Yecla, allá por el año 1885, el
ejercicio del recién estrenado sufragio universal: "Ayer se
celebraron las elecciones. Y ha salido diputado, como siempre,
un hombre frívolo, mecánico, automático, que sonríe, que
estrecha manos, que hace promesas, que pronuncia discursos..." No es preciso ser un lince para descubrir en las
descripciones del *Azorín* primitivo una radical oposición
entre la inconsistencia del español histórico (el diputado) y
la compacta realidad —cruel, bronca— del español natural
(el campesino manchego). Una idea de la historia de España se interponía entre el poeta y el paisaje; una impresión de la España vivida se interpone ahora entre el na-
rrador y el hombre que la narración retrata.

Con motivo de las elecciones, el maestro Yuste vierte en
el alma de Antonio Azorín algunas ideas acerca de la más
reciente historia nacional: "Mira a España: la revolución
de septiembre es la cosa más estúpida que se ha hecho en
muchos años; de ella ha salido toda la frivolidad presente
y ella ha sido como un beleño que ha hecho creer al pueblo
en la eficacia y en la veracidad de todos los bellos discursos progresistas..." Campoamor sería el símbolo de esa España: "Campoamor encarna toda una época, todo el ciclo
de la Gloriosa con su estupenda mentira de la democracia,
con sus políticos discurseadores y venales, con sus periodistas vacíos y palabreros, con sus dramaturgos tremebundos,
con sus poetas detonantes, con sus pintores teatralescos...
Y es, con su vulgarismo, con su total ausencia de arran-
ques generosos y de espasmos de idealidad, un símbolo perdurable de toda una época de trivialidad, de chabacanería,
en la historia de España." Polemizando contra la tesis de
Cánovas —"hemos venido a reanudar la historia de España"—, sostiene Unamuno que la Gloriosa no rompió nada,
porque la intrahistoria de España había continuado siendo
la misma. El maestro Yuste, socrático mentor del Telémaco
Azorín, es todavía más radical, y afirma la existencia de
una fundamental continuidad histórica entre la Gloriosa y
la Restauración: ambas, indistintamente, constituyen la realidad que el retrato azoriniano copia. El fondo histórico
sobre que se dibuja el recuerdo infantil del español José
Martínez Ruiz, nacido en Monóvar, año 1873, condiciona la descripción que de ese fondo nos da el autor de La
voluntad. ¿No coincide tal retrato de España con el que
pinta Menéndez Pelayo en el Epílogo de los Heterodoxos?
Aquella España oficial, cuyo haz se ofrecía tan brillante y
alegre a los espíritus vulgares o fácilmente acomodados,
mostraba un mismo envés a todos los espíritus sensibles y
sinceros, cualesquiera que fuesen los personales puntos de
vista: desconcierto, superficialidad, imitativo servilismo y
utilitarismo grosero, según el diagnóstico de Menéndez Pelayo, allá por las doradas calendas de 1882; trivialidad,
chabacanería, vacuidad, detonancia y vulgarismo, según el
de Martínez Ruiz, por las ya más desengañadas de 1902.

Sobre los primeros contactos de Baroja con la historia
de España nos dan testimonio sus recientes Memorias. Desde 1872, año de su nacimiento, hasta 1879, vive en San
Sebastián. Asiste allí al bombardeo de la ciudad por los
carlistas, y éste será su recuerdo más antiguo: "El recuerdo más antiguo de mi vida es el intento de bombardeo de
San Sebastián por los carlistas. Este recuerdo es muy bo-
rroso... Tengo una idea confusa de la vuelta de unos soldados en camillas y de haber mirado por encima de una

tapia un cementerio pequeño, próximo, en donde había muertos sin enterrar con uniformes rotos y podridos." ¿Por qué esta persistencia de la muerte —una muerte sucia, violenta, atormentada— en los recuerdos que de su infancia conserva y cuenta Baroja?

Contempló también la entrada de Alfonso XII en San Sebastián, a caballo: "Todo el mundo mostró gran entusiasmo, especialmente las mujeres, que agitaban los pañuelos y gritaban: ¡Viva el Pacificador!... Tengo también la idea vaga —añade— de haber visto pasar un grupo de prisioneros carlistas, todos muy andrajosos... La verdad es —concluye Baroja— que no parecía que hubiese mucho odio entonces entre alfonsinos y carlistas."

Entre 1879 y 1881 reside Baroja por vez primera en Madrid; desde 1881 a 1886, en Pamplona; a partir de 1886, otra vez en Madrid. A lo largo de todos estos años, el muchacho Pío Baroja va recibiendo dispersas impresiones de la vida histórica de España: la imagen misma de Madrid (luego insistiré sobre este tema, tan importante para entender el parecido entre todos los miembros de la generación), las conversaciones familiares sobre la política y los políticos, el ambiente de los Institutos, las ejecuciones judiciales, el ámbito público a que despierta la vida sexual, la muerte de Alfonso XII, la sublevación de Villacampa.

Bajo la pura objetividad que don Pío Baroja, autor de estas memorias, pretende dar a la descripción de sus recuerdos, se adivina en el alma del protagonista, el joven Pío Baroja, un secreto sentimiento de lejanía, de despego y hasta de repulsión respecto a los sucesos históricos con que va tropezando su vida de español disconforme.

He aquí un recuerdo del Instituto de Pamplona: "Sentíamos un profundo desvío por todo lo que fuera cultura. Entre nosotros hacer una pregunta a un profesor era la más indigna de las pelotillas.

"Considerábamos al profesor como nuestro enemigo natural, y creíamos que todo lo que se hiciera contra él estaba bien hecho."

Véase el recuerdo que Baroja conserva de la ejecución judicial de un tal Toribio Eguía: "Por la tarde, lleno de curiosidad, sabiendo que el agarrotado estaba todavía en el patíbulo, fuí solo a verle, y estuve de cerca contemplándole. Parecía un fantasma horroroso, vestido de negro y manchado de sangre. Tenía las alpargatas sin meter en los pies. Al volver a casa no pude dormir por la impresión..." Ya dije antes que la imagen de la muerte, una imagen cruda y repulsiva, es muy frecuente en los recuerdos infantiles de Baroja.

Poco más adelante pinta así la iniciación de la vida sexual en las pequeñas ciudades españolas: "El despertar de la pubertad en una de nuestras ciudades levíticas era algo grave. Lo seguirá siendo aún, aunque quizá no tanto... Muchos románticos... quieren creer que los amores fáciles y alegres asaltan al hombre en su juventud, quien tiene que defenderse enérgicamente de ellos.

"Yo eso no lo he visto en ninguna parte y menos en España. En mi tiempo había que ir al vicio con más vocación, más energía y más constancia que al trabajo. Los amores fáciles, al menos en España, son literatura."

En 1886, año de la sublevación de Villacampa, la familia Baroja se traslada otra vez a Madrid: "Llegamos a Madrid —recuerda don Pío— no sé si al día siguiente o dos días después de la intentona del general Villacampa... En la estación de Atocha vimos que algunos de nuestros muebles estaban rotos a sablazos. Dijeron que habían andado a golpes con los bultos en los andenes los revolucionarios. Era también necedad, ya que fracasaban en derrotar la Monarquía, vengarse en una mesilla de noche o en una butaca... Mucha gente —añade a las pocas líneas— tenía simpatía por Ruiz Zorrilla, que era el inspirador de aquel movimiento. A mí siempre me pareció un hombre hueco, un partidario de la revolución para nada. Se comprende que uno quiera un cambio pensando en una utopía o en una realidad; lo que no se comprende es querer la revolución para nada, para cambiar unos tópicos en otros tópicos, que es como la quería Ruiz Zorrilla."

Estos breves fragmentos autobiográficos bastan sin duda para percibir el cariz agrio y el aire de inconsistencia con que la vida histórica española se ofrece al muchacho Pío Baroja. Compárese el tono sentimental con que están escritos esos fragmentos y el que tan fácilmente se percibe en la descripción de recuerdos tocantes al paisaje. "Ahí enfrente —escribe Baroja, recordando en sus *Memorias* la tierra de Vera— se levanta la iglesia con su torre de piedra cuadrada; las palomas blancas revolotean en derredor; el cielo queda azul, y la peña de Aya traza en el horizonte la línea de su cresta pedregosa como un muro de almenas. Todo el valle de Vera y sus montes próximos tienen durante la época estival un verdor profundo, mayor ahora; ha llovido mucho; tras las lluvias comenzaron a secarse campos y praderas, y el cielo de azul pálido tiene, al atardecer, alguna nube lánguida y blanca.

... ...

"Al ver enfrente el pueblo con su iglesia, en la beatitud tranquila de la tarde, al oír el rumor del arroyo que corre a pocos pasos, y los humos de las hogueras, que desapare-

cen arrastrados por el viento, pienso en la vida estática
de los pueblos." Ya se sabe que la naturaleza —entendiendo
por tal la del cosmos físico— es un mundo distinto de la
Historia. Mas para Baroja, como para todos los hombres
del 98, no es sólo distinto; es, también, infinitamente mejor.

A la mocedad del Valle-Inclán estudiante llegan las ondas
de la apenas restañada y ya renaciente discordia española.
Por esa época —1885 a 1890— se inicia un leve giro político en el galleguismo costumbrista y literario. La lengua
y las danzas comienzan a ser "hechos diferenciales", como
luego dirán los pedantes. El estudiante Valle, que "no concede importancia a Rosalía de Castro y censura en Curros
Enríquez los motivos aldeanos de su inspiración", sale en
defensa del castellano, como si presintiera el portentoso
señorío que más tarde había de ejercer sobre él, y llena
los ahumados cafés santiagueses de su dialéctica engallada
y mordaz. Antonio Machado aprende mientras tanto en el
paseo del Obelisco la visión gineriana de España; y no de-
bieron ser mucho más esperanzadores que los de sus camaradas de generación los primeros contactos de Ramiro de
Maeztu con la historia de su patria.

Bajo una u otra figura, a todos ellos les envía la España
canovista el mensaje de su inconsistencia; a todos muestra la triste oquedad de su entraña y su carencia de horizontes históricos incitadores de ilusión. En medio de una
alegre y fingida paz, sus almas comienzan a sentir el oculto
—¿oculto?— malestar de la España real. Ahí está como
prueba irrecusable el mundo de sus recuerdos infantiles.

No debe pensarse, sin embargo, que sólo por la virtud
configuradora de los sucesos vividos va tomando cuerpo la
personalidad histórica de todos y cada uno de estos muchachos. A ello colaboran eficaz y continuamente otras
instancias simultáneas: la constante impresión de la vida
familiar, las vicisitudes diariamente convividas en el medio
social, la educación escolar, las amistades, las lecturas. Sobre
todo, las lecturas. Ellas son las que permiten el comercio
con la historia universal en curso a quienes habitan en
países de escasa eficacia histórica.

Imaginemos la vida y el mundo interior de un muchacho
educado en el París de 1860, en el Londres o en el Berlín
de 1910, en la Nueva York de 1940. El vivir cotidiano pone
a ese muchacho en contacto con los temas más actuales y
operantes de la historia universal. Casi sin leer, sólo con
ver, oír y convivir, logrará una intuición directa de la
situación histórica en que existen quienes de veras crean e
impulsan entonces el destino terreno de los hombres. Imaginemos ahora, como contraste, la vida y el mundo interior
de un muchacho educado en Auckland o en Cuzco, allá por

menzar a ser algo ¿se parecen todos no más que "en aspirar a hacer algo que estuviera bien", como con tan estudiada familiaridad dice Baroja, o en ser autodidactos, como asegura Salinas?

El examen atento de su vida y su obra permite descubrir una mayor complejidad en el parecido de sus reacciones juveniles a ese primer contacto lectivo con la Historia y con el ensueño. Parécense, desde luego, en aspirar a la eminencia espiritual y activa; pero esto es cosa de todos los jóvenes sensibles e inteligentes, y no peculiaridad de los que luego constituirán nuestra generación del 98. Parécense, además, en dos notas que bien merecen mención explícita.

Dije antes que en el conjunto de las lecturas comunes a todos los futuros literatos del 98 predominan dos notas distintivas: son, en su mayor parte, lecturas "europeas" y "modernas". A través de la literatura, del ensayo, del relato histórico y del libro filosófico entran sus almas en inmediato contacto con la Europa "moderna" —tómese este vocablo en su sentido historiográfico más estricto— y descubren la deslumbradora y terrible aventura hacia la total secularización de la vida que desde el siglo XVII, y aún desde más atrás, había emprendido el europeo. El arte, el pensamiento, el vivir mismo de los hombres que se agitan en las páginas leídas —páginas de Shakespeare y Montaigne, del Hegel y Balzac, de Leopardi y Stendhal— muestran o sugieren en el espíritu lector, cuando éste es suficientemente sensible, la estremecedora gigantomaquia de la Europa moderna, en torno a la autarquía del espíritu humano. "El tiempo y yo, contra todos", dice con irónico optimismo —esto es, con pesimismo larvado— la sabiduría popular española; "mi naturaleza y yo, contra todo", ha proclamado, mucho más directa y orgullosamente, el hombre europeo posterior al siglo XVI. Durante los siglos XVII y XVIII se vió bajo especie de "razón" la índole de esa ambiciosa "naturaleza"; en el remate del XIX, vacilante ya la antigua fe en la omnipotencia de la razón humana, prefirió el hombre mirar en su "naturaleza" lo que en ella hay de ímpetu vital, de "vida". Razón y vida, por muy ardua que hace unos lustros fuese la ya pasada contienda entre intelectualistas y vitalistas, han sido históricamente los dos motes sucesivos de una misma pretensión: la pretensión que el hombre ha tenido y sigue teniendo de bastarse a sí mismo en la tarea de hacer su propia vida.

El anhelante contacto de nuestros adolescentes con los testimonios escritos de esa gigantomaquia —en su segunda fase, la antirracional o trasracional, si se quiere mayor precisión— y el desabrido contacto de todos ellos con la España de su tiempo, tan yerma de encantos históricos, ac-

túan de consuno sobre sus almas y determinan en ellas
una reacción semejante: un visible apartamiento de la ortodoxia católica. Aquellas almas jóvenes, educadas en un
catolicismo más consuetudinario que realmente vivido —tal
vez deba exceptuarse a Unamuno, por lo que de sí mismo
cuenta—, carentes del apoyo que presta a la fe una religiosidad socialmente vigorosa, acaban por separarse de la
pasiva creencia infantil y aun de toda práctica católica
regular.

El historiador católico —historiador soy ahora, aunque
sea tan cercano a mi presente el pasado que relato— debe
vestirse de una delicada cautela, puesto a comprender esta
juvenil desidencia religiosa de nuestra generación del 98.
Ningún católico puede justificar la disidencia religiosa de
un hombre, y menos aceptar los juicios que acerca de cuestiones religiosas emita ese hombre *desde* su situación de
disidente. Esta aserción tan categórica tiene, sin embargo,
un exigente reverso: ningún católico debe juzgar ligera y
despiadadamente los problemas religiosos de un hombre,
cuando esos problemas parecen —basta con que parezcan—
sinceramente vividos. Una disidencia religiosa es, desde luego, absolutamente *injustificable*, pero en modo alguno tiene
que ser siempre absolutamente *ininteligible*.

A la vista de la disidencia religiosa de los jóvenes del 98
comencemos preguntando: ¿Daba aquella España de 1800
grande apoyo racional e histórico a la fe religiosa? Dios
concede a los hombres, a fin de que puedan acercarse a la
verdadera fe, los motivos de credibilidad y de credentidad
que en el dogma descubren y distinguen los teólogos. Quienes nos llamamos cristianos damos a veces a los no cristianos, con nuestra sequedad de corazón, nuestros desca-
rríos morales o nuestra rudeza intelectual, frecuentes motivos humanos de descreencia. ¿Qué apoyos concedía aquella
España a la fe de los tibios y a la falta de fe de los
apartados?

Contestaré a esta grave interrogación con dos testimonios de calidad, uno de aquellos años, otro de los nuestros.
En 1889 se celebró en Madrid el Primer Congreso Católico
Nacional Español. Menéndez Pelayo, que habló sobre *La
Iglesia y las escuelas teológicas en España*, decía en él lleno
de dolor y deseoso de esperanza —hallábase, según su propio testimonio, entre "los más próximos al desaliento"—
estas significativas palabras: "¡Y entre tanto los católicos
españoles (doloroso es decirlo, pero éstos son días de grandes verdades), distraídos en cuestiones estúpidas, en amar-
gas recriminaciones personales, vemos avanzar con la mayor indiferencia la marea de las impiedades sabias y co-
rromper cada día un alma joven, y no acudimos a la brecha

cada día más abierta de la Metafísica, ni a la de la exégesis bíblica, ni a la de las ciencias naturales, ni a la de las ciencias históricas, ni a ninguno de los campos donde siquiera se dilatan los pulmones, con el aire generoso de las grandes batallas!" Entre aquellas "almas jóvenes" seducidas cada día por "la marea de las impiedades sabias" estaban en 1889 las de los hombres del 98. ¿Acudía alguien provisto de eficacia histórica a la brecha de salvarles?

Constituyen el segundo de estos dos testimonios los valentísimos e incuestionables juicios del padre Oromí acerca de la crisis religiosa del joven Unamuno. El padre Oromí ve en aquella España, mirándola desde la de 1942 —¡cuánto desengaño, cuánto dolor en los setenta años intermedios!—, una "religión decadente, virtualmente practicada por un clero demasiado metido en política, sin vigor apostólico y con mucha ignorancia del credo que debía enseñar". "Lo clerical y lo eclesiástico estorbábanles —añade, refiriéndose a los intelectuales disidentes del catolicismo— más que los mismos dogmas. No fué la corrupción de costumbres lo que movió a los jóvenes intelectuales a abandonar el dogma católico, como suele decirse por ahí muchas veces por pereza intelectual o por simplificar la historia, sino una verdadera indigencia intelectual que se ha dejado sentir demasiado en el catolicismo español de estos últimos siglos..."

Estos dos testimonios debieran ser suficientes —no sé si efectivamente lo serán— para que los católicos españoles procuremos entender históricamente aquella disidencia religiosa antes de vituperarla o, lo que sería peor, antes de rodearla de aspavientos.

Cualquiera que sea, sin embargo, la actitud judicativa del considerador, ahí está el suceso. Unos cuantos jóvenes españoles, más o menos firmemente educados en la fe católica y en una práctica consuetudinaria del catolicismo, pónense en ávido, fervoroso contacto lectivo con buena parte de la producción literaria europea y con otra, considerablemente menor, de la producción filosófica. La infantil adscripción de esos jóvenes a la fe y a la confesión católicas apenas ha sido cordial e intelectualmente cultivada; el medio histórico a que han abierto sus ojos adolescentes —un mundo que se llama a sí mismo católico, carente, en cuanto católico, de toda ejemplaridad social, intelectual y artística y, por añadidura, nada desvivido por conseguirla— ofrece muy escasos apoyos humanos a una fe religiosa tan débil y amenazada. El resultado no es, no puede ser fatal, pero tampoco deja de ser probable: esos jóvenes, inteligentes, sensibles, deseosos de vida eficaz y egregia, terminarán con frecuencia apartándose espiritualmente —externamente tam-

bién, si el medio político y social lo permite— de la ortodoxia católica.

No es ésta, sin embargo, una nota biográfica privativa de
nuestra generación del 98. Desventuradamente, no lo es. Ha
sido más bien un suceso frecuente y monótono en la biografía de los jóvenes españoles, desde que el catolicismo español perdió su antigua ejemplaridad histórica; ha sido un
suceso archifrecuente durante todo nuestro siglo XIX. Cada
uno de los jóvenes que integran el grupo del 98 vivirá y
expresará luego a su modo, muy individualmente, esta experiencia común a todos ellos.

Ganivet declaró una vez no ser católico. Esta sincera confesión suya no es óbice para que en toda su obra exalte
fervorosamente al cristianismo y reconozca la estrecha conexión entre la fe católica y la grandeza de España. Lo más
personal en la postura religiosa de Ganivet, a quien el problema religioso preocupó sincera y hondamente, consiste
en una suerte de misticismo deísta, entre estoico, escéptico
y cristiano. "El alma acuitada por el misterio de nuestro
destino —escribe Fernández Almagro, buen entendedor de
Ángel Ganivet— busca la salida que mejor conviene a su
temple personal. Unamuno define tres y, en realidad, no
puede haber más: la resignación para el que sabe que no
se muere del todo; la desesperación para el de contrarias
creencias; una resignación desesperada, o una desesperá-
ción resignada para el que no sabe ni lo uno ni lo otro. La
última actitud es la del escéptico: la de Ganivet."

La vida religiosa de Miguel de Unamuno, perpetuo ago-
nista y agonizante en torno al problema de su propia inmortalidad, muestra al biógrafo cuatro etapas sucesivas:
sincera y devota fe católica cuando muchacho; en la adolescencia, crisis hondamente vivida; un fugaz optimismo
cientificista en años de mocedad, "cuando era algo así como
spenceriano"; y, por fin, una religiosidad íntima, agnóstica,
más idónea al canto que a la expresión teológica, y la agonía dubitante, y ese cristianismo dolorido y antidogmático
de que son testimonio *Mi religión, La Fe, El sentimiento
trágico, La agonía del cristianismo* y *San Manuel Bueno,
mártir.* "Mi religión —escribía Unamuno en 1907— es buscar la verdad en la vida y la vida en la verdad, aun a sabiendas de que no he de encontrarlas mientras viva; mi religión es luchar incesantemente e incansablemente con el
misterio..." "Yo no aseguro ni puedo asegurar que hay otra
vida —confiesa en otro lugar—; no estoy convencido de que
la haya; pero no me cabe en la cabeza que un hombre de
veras, no sólo se resigne a no gozar más que de ésta, sino
que renuncie a otra y hasta la rechace." Unamuno fué en
este respecto lo que él mismo llamaba "un hombre de ve-.

ras". Otra vez afirma la intención religiosa de su obra poética y el sentido que esta obra tiene en la vida de un
hombre incapaz de "razonar" su propia religiosidad: "Esos
salmos de mis poesías... son mi religión, y mi religión can-
tada y no expuesta lógica y razonadamente. Y la canto,
mejor o peor, con la voz y el oído que Dios me ha dado,
porque no la puedo razonar." "Dios en nuestros espíritus
es Espíritu y no Idea, amor y no dogma, vida y no lógica",
había dicho en 1900, demasiado influído, tal vez, por sus
copiosas lecturas de teólogos protestantes y desconociendo
que por amor, precisamente por amor, puede el Espíritu
Divino hacerse dogma.

Azorín, que, como Unamuno, escribió páginas de acerba
crítica sobre la situación del catolicismo español en el filo
de los siglos XIX y XX, ha dejado en su obra muy escasos
testimonios acerca de su intimidad religiosa. Parece entreverse en su alma un deísmo sentimental y adogmático, un
esteticismo religioso lleno de respeto para lo más esencial
del cristianismo y gustador de todo lo que el cristianismo
tiene de bello, de consolador, de amoroso. "Éste es un pueblo feliz —se dice a sí mismo irónicamente el Antonio Azorín de *La voluntad*, paseando por Toledo—, tienen muchos
clérigos, tienen muchos militares, van a misa, creen en el
demonio, pagan sus contribuciones, se acuestan a las ocho..
¿Qué más pueden desear? Tienen la felicidad de la fe, y
como son católicos y sienten horror al infierno, encuentran
doble voluptuosidad en los pecados que a los demás morta-
les, escépticos de las chamusquinas eternas, apenas nos
enardecen." Otras veces se adivina en su sentimiento estético de la naturaleza un leve panteísmo evolucionista, versión literaria, suavemente irónica, de cierto panvitalismo
romántico. Pienso además —con tierna simpatía, debo con-
fesarlo—, en el *Azorín* triste y silencioso que asiste en París,
en la iglesuela de San Julián el Pobre, a los oficios del rito
griego católico...

La incontinencia anticlerical y anticatólica de Baroja,
abiertamente brutal y blasfematoria en tantas ocasiones,
es bien conocida; tan conocida como el mismo Pío Baroja:
"A mí, cuando me preguntan qué ideas religiosas tengo,
digo que soy agnóstico...; ahora voy a añadir que, además,
soy dogmatófago", dice de sí mismo. Poco después añade:
"La gran defensa de la religión es la mentira... Con la mentira vive la religión..." Baroja explica su actitud antirreli-
giosa con razones biográficas e históricas. En *Juventud y egolatría* comenta así un pequeño episodio de su vida en Pamplona: "Aquella escena fué para mí, de chico, uno de los
motivos de mi anticlericalismo." Y en una conferencia autobiográfica que pronunció en la Sorbona, hacia 1924, decla-

ra: "No es raro que haya sido anticatólico, antimonárquico y antilatino, por haber vivido en un país latino, monárquico y católico que se descomponía, y en donde las viejas pragmáticas de la vida, a base de latinismo y de sentido monárquico y católico, no servían más que de elemento decorativo." ¿Quiere decir Baroja con estas palabras que habría podido ser un católico sincero si hubiese vivido en un país viva y efectivamente católico?

Por mi parte, me resisto a creer que un hombre inteligente y sensible —Baroja lo es, sin duda— se conforme, en punto a religiosidad, con el groserísimo y vulgar anticlericalismo de los Blasco Ibáñez, los Azzati y los Nakens. En *Camino de perfección* describe las vicisitudes religiosas de Fernando Ossorio. "A los doce años —cuenta Fernando Ossorio— mi nodriza me llevó a confesar. Sentía yo por dentro una verdadera repugnancia por aquel acto, pero fuí, y en vez de parecerme desagradable se me antojó dulce y grato, como una brisa fresca de verano. Durante algunos meses tuve una exaltación religiosa grande..." Muchas páginas después describe así Baroja la intimidad religiosa de su personaje: "Él no creía ni dejaba de creer. Él hubiese querido que aquella religión tan grandiosa, tan artística, hubiera ocultado sus dogmas, sus creencias, y no se hubiera manifestado en el lenguaje vulgar y frío de los hombres, sino en perfumes de incienso, en murmullos de órgano, en soledad, en poesía, en silencio. Y así, los hombres que no pueden comprender la divinidad, la sentirían en su alma, vaga, lejana, dulce, sin amenazas, brisa ligera de la tarde que refresca el día ardoroso y cálido." Si tenemos en cuenta que muchos episodios de la vida novelesca de Fernando Ossorio son trasunto de otros pertenecientes a la vida real de Pío Baroja, ¿deberemos pensar que late en el alma de éste, consecutiva a una verdadera crisis religiosa y bajo la espesa costra de su anticlericalismo, cierta religiosidad vaga, un deísmo de tinte unamuniano?

Antonio Machado —agnóstico también, jacobino por confesión propia, enemigo declarado de dogmas y de ritos— vive en los senos de su alma, poética, irónica, angustiadamente, una honda preocupación religiosa. ¿No es la misma de Unamuno? Entre bromas y veras, confiesa el poeta:

> *Libros nuevos. Abro uno*
> *de Unamuno.*
> *¡Oh el dilecto,*
> *predilecto*
> *de esta España que se agita*
> *porque nace o resucita!*

Siempre te ha sido, ¡oh Rector
de Salamanca!, leal
este humilde profesor
de un instituto rural.
Esa tu filosofía
que llamas diletantesca,
voltaria y funambulesca,
gran don Miguel, es la mía.

Esa filosofía "bogadora, marinera, hacia la mar sin ribera" —esto es, hacia Dios— es la que quiere el triste Antonio Machado. Su idea de Dios —Dios como realidad ínsita en el hombre y como creación inmanente del espíritu humano que le busca— tiene tal vez una raíz en el pensamiento de Unamuno y coincide extrañamente con la concepción scheleriana de la Divinidad. Antonio Machado, menesteroso buscador de Dios, aunque fuese por sendero extraviado

—guitarrista lunático, poeta,
y pobre hombre en sueños,
siempre buscando a Dios entre la niebla,

dijo de sí mismo—, acaso no sea sino el malogro de un magnífico poeta cristiano. Aquella España "vieja y tahur, zaragatera y triste" dejó en descarriada y delicada realidad lo que había sido, estoy seguro, posibilidad espléndida.

¿Y Valle-Inclán, el carlista por estética? En 1929 cumple una famosa quincena en la Cárcel Modelo —pues qué, ¿no era también él, Valle-Inclán, un personaje del esperpento español, un "Don Estrafalario", como el de *Los cuernos de don Friolera?*— y llena así la ficha de ingreso: "Edad, cincuenta y nueve años (tenía en rigor sesenta y tres); profesión, escritor; instrucción, sí; religión, católica." Poco antes de morir decía a un amigo suyo: "Yo creo que siempre he estado a bien con Jesucristo..." ¿Cuál fué, allá en los penetrales del alma de don Ramón, su personal modo de entender ese "estar a bien" con Jesucristo? ¿Cuál fué la verdadera religiosidad de aquel espíritu anhelante y disconforme? ¿Sería tal vez ese cristianismo estético, místico, cuasipanteísta, que transparece bajo las líneas damasquinadas de *La lámpara maravillosa?*

Basten estos someros apuntes para caracterizar lo que de singular hubo en las diversas actitudes religiosas de los hombres del 98. Cualquiera que cada una haya sido, a ninguno de ellos ha vedado la observancia de una vida honesta, sobria y limpia, así en el ámbito privado como en el público. Quede expresa constancia de esta verdad en este libro mío, que sólo bajo el imperativo de la verdad y del amor se mueve.

He dicho páginas más atrás que la reacción de los adolescentes del 98 al mundo de sus lecturas juveniles muestra en todos ellos dos notas análogas. Una, la común e individual disidencia del catolicismo ortodoxo, ha quedado ya suficientemente descrita. La segunda de ellas se halla implícita en las líneas que anteceden y depende de la peculiar situación histórica del espíritu europeo en el momento en que nuestros hombres del 98 perciben su incitante mensaje. A fines del siglo XIX es sustituída la antigua fe de los hombres en su razón por una entusiasta afirmación de la vida portadora de esa razón humana, una vida que en modo alguno podría ser reducida a razones (sólo en el siglo XX se intentará el penoso esfuerzo de dar expresión a las posibles "razones" de la "vida"). Empieza a fallar, por otro lado, la segura confianza de los hombres en su propio progreso: el optimismo progresista, tan incuestionable en los años que preceden al vivir de los hombres venteadores y agoreros de la crisis (Nietzsche, Dilthey, Ibsen, el propio Bergson), será pronto signo de filisteísmo, como desde Nietzsche es moda decir. Irracionalismo, sed de nueva vida espiritual, sentimiento de amenaza y, a veces, pesimismo manifiesto —más o menos cubierto por los velos de la estética y del hedonismo— van siendo hacia 1890 las nubes de hogaño. "La generación que recibió sus primeras impresiones científicas hacia los años 60 y 70 del siglo pasado —ha escrito Spranger—, estaba completamente inmersa en las categorías biológicas y dominada por el esquema básico de la teoría de la evolución, hasta el punto de que, como se sabe, muy notables cultivadores de las ciencias del espíritu —Schäffle, Nietzsche, Paulsen, von Gierke y temporalmente el mismo Dilthey— esperaban que la salvación científica vendría de extender estos conceptos fundamentales a sus propios problemas. Hacia 1890 comenzó un giro decisivo en la vida entera del espíritu. Desde entonces está lleno el aire de intuiciones fundamentales pertenecientes a las ciencias del espíritu, y su repercusión sobre las ciencias naturales (por ejemplo, en el modo de entender el concepto de forma y el de organismo) es de todo punto evidente."

Ésa es la situación histórica del espíritu europeo que confusamente perciben, cada uno a su modo, los hombres de nuestra generación del 98. Para todos ellos, la vida es superior e irreductible a la razón, el sentimiento superior a la lógica, la sinceridad más valiosa que la consecuencia. Cuantas palabras expresan la actividad no racional de la vida humana —pasión, voluntad, sentimiento, sensibilidad inefable, emoción— se hallan estampadas con rara frecuencia en las páginas de todos los escritores del grupo. Habrá ocasión de comprobarlo copiosamente en los capítulos ulteriores. En éste no pasaré de acreditar la verdad de mi aserto con unos pocos textos demostrativos.

Unamuno pasó en su mocedad de un cientificismo progresista y spenceriano al invariable y bien conocido irracionalismo de toda su vida restante. "¡Claridad! ¡Claridad! —exclama una vez, lleno de acre ironía—. ¡Bendita claridad que al matar lo indeterminado, lo penumbroso, lo vago, lo informe, mata la vida!" "¿Ideas verdaderas y falsas, decís? —pregunta en otra de sus páginas, muy nietzscheanamente—. Todo lo que eleva e intensifica la vida refléjase en ideas verdaderas, que lo son en cuanto lo reflejen, y en ideas falsas todo lo que la deprime y amengüe... *Vivir verdad* es más hondo que tener razón." No me sería difícil acopiar una gran muchedumbre de textos semejantes.

Igualmente numerosos son en Baroja, en *Azorín*, en Machado, en Ganivet, en Valle-Inclán. "La única palabra posible —piensa Fernando Ossorio en *Camino de perfección*— era amar. ¿Amar qué? Amar lo desconocido, lo misterioso, lo arcano, sin definirlo, sin explicarlo." Baroja confiesa, por su parte: "Si Mefistófeles tuviera que comprar mi alma, no la compraría con una decoración ni con un título; pero si tuviera una promesa de simpatía, de efusión, de algo sentimental, entonces se la llevaría fácilmente." Y más tarde añade: "Se puede decir que en la naturaleza no hay milagro, pero también se puede decir que todo es milagro." "Nos sentíamos atraídos por el misterio", define *Azorín*, mirando, desde sus setenta años, los lejanos veinticinco de todos los de la generación. "¡Qué mezquino —escribe Valle-Inclán, y todos asentirían—, qué torpe, qué difícil balbuceo el nuestro para expresar este deleite de lo inefable que reposa en todas las cosas con la gracia de un niño dormido!" Ganivet increpa en el *Idearium* a los cristianos que "en vez de volar con las alas que les daba la fe, se arrastraron por las bibliotecas", y piensa que una cosmología cristiana —la cosmología que su gusto apetece— no debería ser una clasificación ni una descripción, sino un cántico. Y si esto dicen los demás, ¿qué dirá Antonio Machado, el más poeta de todos ellos? Mirar esclarecedoramente hacia el misterio fué su personal intuición del oficio poético. "He llegado a una afirmación: todos nuestros esfuerzos deben tender hacia la luz", escribió en 1904 a Unamuno. Y más tarde:

> *El alma del poeta*
> *se orienta hacia el misterio.*

Esa luz hacia que debe tender el esfuerzo de todos es, en su caso, la luz que ilumina y muestra poéticamente, sin definirlo, el misterio inefable del hombre y del mundo. ¿No es ella la que le hace ver un antagonismo irreductible y una posible misteriosa concordia entre el pensamiento racional y el sentir del corazón?

> La razón: "Jamás podremos
> entendernos, corazón."
> El corazón: "Lo veremos."

Tal es la cosecha que los jóvenes del 98 obtienen de sus lecturas juveniles y de sus primeros contactos con la vida histórica. Fáltales aún una experiencia terminal, decisiva en el rápido tránsito desde su adolescencia hacia la vida creadora: la experiencia de Madrid. "¿Hasta qué punto Madrid —se pregunta *Azorín*, intentando definir, autodefinir a la generación del 98— influyó en la estética y en la psicología de los escritores del grupo dicho?" Vamos a verlo.

CAPÍTULO IV

MADRID

Sí, cada otoño ocurre. Son diez, veinte, cien muchachos, entre los miles y miles que entretienen su naciente ambición y su hastío adolescente sobre el reps triste y fatigado de los cafés provincianos: esos muchachos que en su humilde estancia familiar, después de haber leído una novela sugestiva, un clásico latino o un tratado de Patología, sueñan posibles vidas espléndidas. Diez, veinte, cien entre todos ellos sienten crecer en sus almas un mismo deseo, un deseo cada vez más imperativo: ir a Madrid, triunfar en Madrid. Piensa uno ser escritor eminente, político otro, pintor famoso el tercero, médico de moda éste, jurista o notario aquél. A Madrid, a Madrid. Todos hacen su breve hatillo —un poco de ropa, algunos libros, tal vez un retrato familiar o amoroso—; todos toman un billete de tercera, se instalan en un pupilaje modesto, abren sus ojos ávidos a esta delgada luz castellana y emprenden, bien provistos de las cartas de presentación que tal o cual señor amigo les ha dado en el pueblo nativo, el albur decisivo y fabuloso de las primeras visitas. ¿Cuántos de ellos alcanzarán el lauro de vender pingüemente sus cuadros, o el privilegio de editar "Obras completas", o la modesta gloria cotidiana de adoc-

—hasta ahora cuando menos— en desconocer todo lo posible
la existencia y la viabilidad de los anteriores. Si todo plan
humano es, por definición, un acto en que se cuenta con el
futuro, los planes de los sucesivos hacedores de Madrid fueron siempre una constante lucha, una lucha vana y dramática contra un futuro que casi por necesidad histórica había
de empeñarse en desconocerlos; lo cual ha sido tanto más
grave y significativo, cuanto que la edificación de Madrid
comenzó hace tres siglos y medio, a la hora en que ya se
había iniciado entre los europeos el hábito de calcular y pre-
ver a largo plazo sus obras sobre la tierra. Madrid, por obra
de su condición campamental, ha sido un permanente Adán
de su propia vida. Quien sepa comparar el plano de Madrid
con los planos de París, de Viena o de Buenos Aires tendrá
ante sus ojos la prueba suficiente.

   La energía actualizadora de Madrid se expresa también en
la irregular dispersión de sus monumentos arquitectónicos.
Cada una de las situaciones históricas que ha vivido Madrid
ha dejado en la figura de la ciudad algún testimonio pétreo
de su capacidad creadora y de su estilo: del Madrid austriaco
quedan, con la plaza Mayor, los palacios de Santa Cruz y de
la Villa; el Madrid dieciochesco e ilustrado dejó el Palacio
de Oriente, el Museo del Prado, la Casa de la Aduana, San
Francisco el Grande, el Observatorio, la Puerta de Alcalá;
el Madrid napoleónico y fernandino, la Puerta de Toledo; el
Madrid isabelino, el Palacio de las Cortes y la Biblioteca Nacional; el de la Restauración, el Banco de España. ¿Puede
descubrir alguien la existencia de un plan en la necesaria
dispersión topográfica de todas estas edificaciones? ¿Cuántas
de ellas han sido emprendidas contando con una perspectiva
posible en lo futuro? ¿Cuántas han gozado luego de la perspectiva que al planearlas se previó? Las huellas visibles del
pasado de Madrid, tan dispersas e inconexas, demuestran
con ello lo que antes dije: son testimonio del recuerdo de ese
pasado, en modo alguno prenda visible de su tradición.

   Mas no sólo se expresa efectivamente esa peculiaridad
actualizadora, tantas veces mentada, del vivir histórico madrileño; muéstrase también simbólicamente. Como en la figura humana hay a la vez efectos y símbolos de la peculiar
naturaleza del hombre, así los hay en la figura de las ciudades. Madrid, vórtice absorbente y actualizador de toda la
vida de España, nutrido por un constante acarreo de lo mejor y de lo peor, no es tan sólo la actualidad histórica del
país; es también su compendio y su espejo.

   ¿No lo habéis advertido paseando por sus calles? Dejad
por un momento las calles y las edificaciones que pasan por
características de Madrid; dejad, sobre todo, esa pretensión
cosmopolita de la Gran Vía. Un día de verano, cuando el sol

hiere sin piedad el ámbito de las calles más anchas, buscaréis alivio a vuestro sudor y elegiréis las calles estrechas y
umbrías. Tal vez, por azar, sean éstas las que rodean a la
iglesia de Santiago: calles del Biombo, de los Señores de Lu-
zón, de Santiago, del Espejo. ¿Estáis entonces en Madrid?
¿Contempláis un rincón de ciudad andaluza? Si la acuidad
del calor ha adormecido levemente la clara vigilia de vuestra
conciencia — lo cual no es insólito durante nuestro estío —,
acaso no sepáis resolver ese dilema geográfico. Otra vez penetraréis en una de las angostas vías que van transversal-
mente desde la calle de San Bernardo a la de Fuencarral:
Palma, San Vicente, Espíritu Santo. Hay en una de ellas cierta tapia baja, encalada, sobre cuyo borde asoman su follaje
los impacientes arbustos de un jardinillo interior. ¿Qué ciudad estáis viendo? ¿No sentís la impresión de caminar por
una de esas calles sevillanas acostadas hacia la ribera de la
Barqueta: calle de Santa Clara, de San Vicente, de Teodosio?

Otras zonas de Madrid tienen el corte y la atmósfera de
esos barrios porteños exentos de circulación rodada, húme-
dos, llenos de rumores humanos, olorosos a marisco y fritura.
Tal es el mundo que sugieren al buen conocedor de España
las calles de la Victoria, de Cádiz, de Fernández y González,
de Echegaray. Todas ellas representan en el mosaico madrileño otras tantas zonas urbanas de Barcelona, de Gijón, de
Cartagena, de Coruña. Madrid, tan poco marinero, tan te-
rrestre, cumple su destino de espejo y símbolo copiando como
puede algo de la condición marinera de España. Más fácil le
resulta adoptar la traza ancha, abierta y humilde de los pueblos manchegos, y así es tan fielmente castellana nueva y
manchega la franja meridional de Madrid, desde la calle de
Santa Isabel hasta la de Segovia, siguiendo el contorno de
las Rondas, como es toledano el Madrid en torno a la plaza
del Cordón. Y aunque pasme a muchos, confesaré que en más
de una ocasión he sentido en las afueras de Madrid el pál-
pito de hallarme en las inmediaciones de una ciudad levantina. ¿No evoca las afueras de Valencia, por ejemplo, ese
triángulo semiedificado que limitan las calles de López de
Hoyos, Francisco Silvela y María de Molina, con su luz, su
claro color, sus dispersas masas de verdura y una valiente
palmera, tan terca y magníficamente empeñada en desconocer los seiscientos cincuenta metros que la levantan sobre
el mar alicantino?

Madrid, actualidad y recuerdo de España. Madrid, también, compendio, espejo, símbolo de España. Lo sentiréis en
lo más vivo de vuestra alma — con honda claridad, con casi
tangible delicadeza — si os decidís a una mínima excursión
urbana. Elegiréis un día fresco y soleado; no es difícil ha-
llarlo durante la primavera y el otoño de Madrid. Espera-

réis la hora del crepúsculo vesperal, cuando la luz, más azul unos días, más rosada otros, todavía permite reconocer con precisión figuras y colores. Entonces os dirigiréis andando y, si podéis, en compañía amistosa, hacia el Museo del Prado. Tal vez os convenga hacer breve estación ante la fachada de la escalinata; cumplida la cual, buscaréis la puerta principal del Museo, a espaldas de la estatua sedente de Velázquez. Haced allí nuevo y más largo detenimiento. La visión de la gracia mesurada que la fábrica del edificio tiene habrá puesto en vuestro espíritu orden y armonía. Contemplaréis luego lo que resta de aquellos cuatro hermosos cedros que d'Ors puso definitivamente entre los cien mejores árboles del mundo —"¡cuán altos árboles éstos, cuán nobles, dignos y profundos!", ha dicho de ellos—, y esta contemplación de la nobleza vegetal dará nobleza al sentimiento de vuestra propia vida. Miraréis, por fin, a través de las seis estupendas columnas dóricas, la penumbra semiiluminada del pórtico central, y esa penumbra os hará sentir en vuestra alma el misterio de las cosas y vuestro propio misterio.

Así, llenos —así, edificados, iba a decir— de geometría, de vida y de misterio, penetraréis en el pórtico y desde él, puestos de espaldas al muro del Museo, resbalará vuestra mirada sobre el redondo cuerpo de las columnas, se enredará un momento entre la fronda de los árboles del Prado y se disparará hacia el blanco fulgor del primer lucero. Entonces, amigos, estaréis en posesión de la emoción más secreta y propia de Madrid, compendio y espejo de España.

Descansa a nuestra espalda, sedimentado en figuras, lo mejor de la historia de España: en el Greco, la exaltada ambición mística; en Zurbarán, la densa concreción ascética; en el Tiziano, el sueño del Imperio; en Velázquez, nostálgica ya, la quintaesenciada elegancia de las últimas victorias; en Goya, el estallido genial del alma popular. Corre ante nuestros ojos la pura actualidad, representada por esos automóviles rápidos y luminosos que se deslizan a lo largo del Paseo y en torno a la fuente de Neptuno. Junto a nuestro cuerpo, simbolizado por las seis columnas vilanovianas, está el testimonio restante de los últimos empeños vigorosos y razonables de España: vivir razonable y verdaderamente a la española y a la europea quiso, en último término, el buen don Juan de Villanueva... Llena el fondo, dando al cuadro un lecho transparente y terso, el aire de Madrid; ese aire finísimo, fresco y sedoso de los crepúsculos equinocciales, al que perfora y argentea con brillo de plata recién creada el lucero vespertino. Y en medio, nosotros, españoles, con el corazón tan en el centro del tiempo que ha logrado evadirse de él, llena el alma de una íntima sensación en la cual se mezclan extrañamente la plenitud y el anhelo.

Entonces, y sólo entonces, Madrid nos habrá revelado su secreto. Entonces nos habrá resarcido —maravillosamente— de las heridas que acaso nos infirió su terrible energía actualizadora, su cruel despego, su acre y disolvente superficialidad, sus incómodas y brutales desigualdades, su insoportable madrileñismo casticista.

EL MADRID DEL 98

Así es Madrid, tal como yo lo veo. Nuestros mozos del 98 van acudiendo a él y se ponen en contacto con la ocasional figura del Madrid de la Restauración, entre 1880 y 1895. La vida madrileña es, según lo dicho, la pura actualidad de la historia de España correspondiente a esos años. ¿Cómo ven a Madrid nuestros recién llegados y sensibles provincianos? Oigamos sus propios testimonios y tratemos de hallar, si lo hay, el parecido existente entre todos ellos.

En un ensayo de 1902 recuerda Unamuno la impresión de su primera llegada a Madrid, el año 1880, a los dieciséis de su vida: "una impresión deprimente y tristísima, bien lo recuerdo. Al subir, en las primeras horas de la mañana, por la cuesta de San Vicente, parecíame trascender todo a despojos y barreduras; fué la impresión penosa que produce un salón en que ha habido baile público, cuando por la mañana siguiente se abren las ventanas para que se oree, y se empieza a barrerlo". Descubre inmediatamente "rostros macilentos, espejos de miseria, ojos de cansancio y esclavos de espórtula". "Fuí a parar —añade— a la casa de Astrarena... y recuerdo el desánimo que me invadió al asomarme a uno de los menguados balconcillos que dan a la calle de Hortaleza y contemplar desde allí arriba el hormigueo de los transeúntes por la red de San Luis... Estas emociones reviven en mí cada vez que entro en Madrid." Para muchos madrileños y para no pocos de los provincianos llegados a la Corte, Madrid tenía acaso la superficial alegría del salón de baile. Unamuno, apenas llegado, ve inmediatamente el reverso directo de esa imagen: Madrid es un salón de baile, pero a la hora triste y sucia en que comienzan a barrerlo.

Esta impresión se repite en el alma del Unamuno adulto cuantas veces llega a Madrid. Madrid le desplace. No le odia —"no dejo de guardar afecto —dice— a ese gran patio de vecindad..., a ese buen cotarro abierto a todo el que llega..."—; pero siente ante él un innegable asco espiritual: le llama "centro productor de ramplonerías" y le define así: "Madrid pulula en vagabundos y atrae al estéril vagabundaje callejero... Madrid es el vasto campamento de un pueblo de instintos nómadas, del pueblo del picarismo." La

moraleja no se hace esperar: "La mejor defensa es huir, huir
al desierto a encontrarse uno consigo mismo en él." Sólo
alaba de Madrid su cielo, sus "espléndidas puestas de sol,
magnificadoras del que las contemple..."

La actitud aversiva de Unamuno ante Madrid se extiende
a todas las ciudades, y singularmente a las que pasan por
más "civilizadas": "gracias a Dios —escribe *ex abundantia
cordis*— no vivo en ninguna de esas ciudades, todas iguales
y todas imitadoras de París...; vivo en una vieja ciudad, cuya
vejez es juventud perpetua, entre doradas piedras que rezu-
man recuerdos. Y aun así, en cuanto puedo me escapo y me
voy al campo a conversar con algún viejo pastor que a solas
largas horas bajo el desnudo cielo haya meditado en la meditación eterna". El contacto de Unamuno con la ciudad
produce inmediatamente en su alma el deseo de huir. Quiere huir de la historia y chapuzarse, como él diría, en la
intrahistoria; o, mejor todavía, en el puro paisaje.

Sólo cambiará la visión unamuniana de Madrid con la
vejez, inexorable hasta para quien, por haber sido llamado
en su juventud "niño viejo", había hecho luego profesión
de "viejo niño". La vejez trae a los hombres una ineludible
opción: o disconformidad, esto es, resentimiento, o conformidad, esto es, nostalgia. Nostálgico vive don Miguel cuando en su magnífica senectud describe el Madrid de 1932.
"¡Qué nuevo Madrid éste —ha dicho Antonio Tovar, muy
certeramente, en su recensión de *Paisajes del alma*—, hirviente de populachería, en la que con visión angustiada y
optimista gusta de sumergirse don Miguel!..." En 1932 era
Unamuno diputado de una República que, según su propia
sentencia, "jugaba al republicanismo". Esto le obliga a re-
sidir otra vez en Madrid y a recordar, morriñoso de sí mismo, el Madrid que había conocido cincuenta y dos años
antes. "Hoy el comentador, rico de años y rico de recuerdos, y por herencia, de esperanzas, recorre, señero, lo que
de su Madrid de la mocedad aún vive, para remozarse el
corazón. Busca frescuras, ya de fuentes, ya de verdor de
vida." ¡Qué distinto Madrid va a contemplar y a sentir en
su alma este viejo saudadoso! "Se siente la llaneza de llanura alta, de meseta, del Madrid llanero, manchego, popular", piensa a orillas del Manzanares, "y se siente su alteza
de altura serrana y la cortesía del pueblo bajo, que aprende siempre, y la frescura y la claridad de sus praderías espirituales... ¡Llaneza, alteza, cortesía, frescura, claridad! ¡Y
fuego! Y recuerdos de mocedad de aprendiz de hombre en
Corte", concluye, reiterando el tema de la nostalgia.

Un día sale a la calle Mayor, hacia la cuesta de la Vega,
y ve la gente madrileña que por esa cuesta y la de San
Vicente baja a la hora en que el sol se pone hacia la Casa

de Campo. Cuesta abajo, viejo y a la hora de vísperas contempla el mismo paisaje urbano que vió por vez primera en 1880, cuesta arriba, mozo y a hora de prima. ¿Verá en él lo mismo que entonces, a los dieciséis años, y lo mismo que recuerda en 1902, a los treinta y ocho? "Gente que baja hacia la puesta del sol..., y entre esa gente parejitas atortoladas. Y le refrescan a uno la vista ellas, las muchachitas, en atavío veraniego y ligerito, y hace que al cruzarlas se sienta el ritmo de su respiración y el vaho tibio de su transpiración. Tibio, pero a la vez, por íntimo y paradójico contraste, fresco, con frescor de rocío mañanero... Un hálito de alegría contenida y dulce, de contento de vivir mocedad. Y un aire de bienestar que no se sentía antaño... ¡Ay, aquellos años de las melancolías estudiantiles —comenta—, en este Madrid que ya uno, en la puesta de su vida, empieza a descubrir!" ¿Dónde ha quedado aquella estampa repelente del Madrid de 1880? ¿Qué cambio maravilloso trocó la "impresión deprimente y tristísima" de entonces en la "alegría contenida y dulce" de ahora? Entre las dos impresiones han pasado —se han eternizado, preferiría decir Unamuno— más de cincuenta años. Ha mejorado, indudablemente, el rostro de Madrid. ¿Basta esa mejoría para explicar tan grave mudanza en el tono descriptivo? No lo creo. Hemos de pensar también en los cambios sufridos por el descriptor. En esos cincuenta años ha crecido don Miguel y ha declinado, y de ahí su nostalgia. Todavía hay más. En esos cincuenta años ha aprendido a soñar una imagen de España, la imagen unamuniana. Pero sobre ello conviene no adelantar noticias.

La actitud de *Azorín* ante el Madrid que conoce es sensiblemente paralela a la de Unamuno. Ávido de vida y de ensueño llega a Madrid Antonio Azorín o, si se prefiere, José Martínez Ruiz. Es el año 1895. ¿Qué ve Antonio Azorín de la vida y del rostro de Madrid? Dejemos que nos lo cuente su inventor y biógrafo: "En Madrid su pesimismo instintivo se ha consolidado; su voluntad ha acabado de disgregarse en este espectáculo de vanidades y miserias. Ha sido periodista revolucionario y ha visto a los revolucionarios en secreta y provechosa concordia con los explotadores. Ha tenido luego la humorada de escribir en periódicos reaccionarios y ha visto que estos pobres reaccionarios tienen un horror invencible al arte y a la vida." No es más favorable el retrato de los políticos que en Madrid descubre: "No hay cosa más abyecta que un político", sentencia.

¿Será más lisonjera la visión azoriniana del rostro físico de la ciudad? Del *Azorín* joven conozco una estampa de Madrid, una espléndida pintura impresionista del paisaje que hacia 1900 ofrecían las Ventas del Espíritu Santo. Es, a mi juicio, la mejor página de prosa impresionista de toda la literatura castellana. Hay en ella, en primer término, una viñeta de los diminutos hoteles del Madrid Moderno: "todo chillón, pequeño, presuntuoso, procaz, frágil, de un mal gusto agresivo, de una vanidad cacareante, propia de un pueblo de tenderos y burócratas". En el cuerpo de la descripción, el ámbito suburbano de las Ventas va ofreciendo su línea, su color, sus diversísimos sonidos, el movimiento de los seres vivientes que le habitan, la luz y el temple del aire, el avance lento y analítico del descriptor. Son puros y limpios los menguados retazos de naturaleza que subsisten entre los hombres y las obras humanas: un trozo de césped verde, dos palomas, la mole del Guadarrama. El resto —hombres y obras—, todo es sucio, triste de veras o falsamente alegre, en torno a la rítmica lanzada funeral que le atraviesa: "pasa un coche fúnebre blanco, pasa un coche fúnebre negro..." El dolor, la suciedad, la estridencia y la muerte son los cuatro elementos que integran la visión azoriniana del arrabal madrileño.

Medio siglo más tarde recordará *Azorín* su llegada a Madrid. La nostalgia y el peso de un desengañado sueño ponen un dulce velo a la agrura de antaño. Este *Azorín* de 1943 preferirá recordar los pasajes más cómodos y los momentos menos hirientes de su primer contacto con Madrid: recuerda, empapado de una suave melancolía —aunque, como *Azorín* enseña, no sea Madrid muy propicio a ello—, un grupo de cuatro o seis caballeros "en la puerta del teatro de Apolo, entre el bullicio de la gente, en un ambiente de fluidez, de señorío y de modernidad". ¡Qué inmensa distancia entre el Madrid hirviente, incómodo y agrio, directamente vivido en la mocedad, y este Madrid preciso, pálido y amable que evoca el nostálgico recuerdo de la senectud!

Baroja resume sus experiencias infantiles de Madrid o, más precisamente, su recuerdo senil de esa experiencia, con las palabras que siguen: "tengo la impresión de que Madrid no dejaba de ser, en su limitación y en su pobreza, un pueblo alegre y pintoresco y fácil para todo el mundo". Veamos los objetos y los sucesos que Baroja recuerda y examinemos su capacidad de engendrar esa impresión de alegría y facilidad.

Tanto en *Juventud y egolatría* como en sus recientes *Memorias* se complace Baroja evocando sus primeros recuerdos de Madrid. El texto de la evocación es casi idéntico en los dos libros: "Enfrente de nuestra casa había un campo alto, no desmontado aún, que se llamaba la Era del Mico. Tenía una serie de columpios y de tíovivos. Las diversiones de la Era del Mico, las calesas y calesines que existían aún y los coches fúnebres que pasaban por la calle, eran nuestro entretenimiento desde los balcones de la casa.

"Con un intervalo muy corto, hubo entonces dos ejecuciones... y oímos vender en la calle la Salve que cantan los presos al reo que está en capilla."

Recuerda sus noticias sobre las dos cárceles de Madrid: la del Saladero, para hombres, y la Galera, para mujeres. Transcribe luego una sucia cuarteta dedicada al duque de Sesto. Describe así el colegio a que asistió: "un cuartucho oscuro y estrecho en el que hacía de maestro un hombre triste y tuberculoso". Conserva también el recuerdo de los licenciados de Cuba y Filipinas que mendigaban por las calles "vestidos medio de soldados, medio de vagabundos".

No es mucho más conformante el haz de las impresiones procedentes de su segunda estancia en Madrid, a partir de 1886. El ambiente mezquino y achulado del Instituto de San Isidro, la ejecución de los tres reos del crimen de la Guindalera, el flamenquismo en apogeo, el Bodegón del Infierno, las casas de dormir, la muerte de Higinia Balaguer en el garrote, el crimen de la calle de la Justa, los garitos y los astrosos billares de la Puerta del Sol. "En un ambiente de ficciones, residuo del pragmatismo viejo y sin renovación, vivía el Madrid de hace años. Otras ciudades españolas se habían dado cuenta de la necesidad de transformarse y de cambiar; Madrid seguía inmóvil, sin curiosidad y sin deseo de cambio... España entera, y Madrid sobre todo, vivía en un ambiente de optimismo absurdo. No había curiosidad por lo de fuera. Todo lo español era lo mejor" —dice Baroja, resumiendo sus juicios de estudiante universitario acerca de Madrid.

A nadie extrañará, leyendo estos recuerdos barojianos, el rostro repelente y la sensación de inconsistencia que ofrece Madrid en la obra literaria de Baroja: el Madrid de *La busca*, de *Aurora roja*, de *La dama errante*. He aquí un expresivo texto de *La dama errante*, que Baroja copia en sus *Memorias*, como si fuese el trasunto más idóneo y fiel de su experiencia de Madrid: "Madrid, entonces, era un pueblo raro, distinto a los demás, uno de los pocos pueblos románticos de Europa, un pueblo en donde un hombre, sólo por ser gracioso, podía vivir. Con una quintilla bien hecha se conseguía un empleo para no ir nunca a la oficina. El Estado se sentía paternal con el pícaro, si era listo y alegre. Todo el mundo se acostaba tarde; de noche, las calles, las tabernas y los colmados estaban llenos; se veían chulos y chulas con espíritu chulesco; había rateros, había conspiradores, había bandidos, había matuteros, se hacían chascarrillos y epigramas en las tertulias, había periodicuchos en donde unos políticos se insultaban y calumniaban a otros;

se daban palizas y, de cuando en cuando, se levantaba el patíbulo en el Campo de Guardias, en donde se celebraba una feria a la que acudía una porción de gente en calesines... Entonces, los alrededores de la Puerta del Sol estaban llenos de tabernas, de garitos, de rincones, lo que permitía que nuestra plaza central fuera una especie de Corte de los Milagros. En la misma Puerta del Sol se podían contar más de diez casas de juego, abiertas toda la noche; en algunas se jugaba a diez céntimos la puesta. Los políticos eran, principalmente, chistosos..."

Nadie podrá afirmar que durante su niñez y su mocedad viera Baroja en Madrid un pueblo alegre y fácil para todo el mundo. Puesto ante Madrid, sus impresiones dominantes fueron entonces el dolor, la suciedad, la muerte, la inconsistencia. Mas cuando hayan pasado cincuenta años y para vivir baste y sobre "en invierno, tener un sillón viejo, mirar un fuego que arde; en verano, contemplar algo verde desde la ventana", entonces los recuerdos de la lejana juventud, por tétrica y desgarradora que sea la pura objetividad de su contenido, dan una inevitable impresión de alegría, de ligereza, de facilidad ágil. Hasta en el alma de los más tenaces en el empeño de mostrar una apariencia de crudeza y asperidad.

Vengamos a Antonio Machado. ¿Cómo ha visto al Madrid de su juventud? La obra poética de Antonio Machado, tan visible e inmediatamente vinculada a su experiencia personal, nos da pronto respuesta cumplida. Habla el poeta una vez a las encinas del Guadarrama y contrapone su hermosa y auténtica realidad a la vanidad, a la inconsistencia de Madrid:

> y tú, encinar madrileño
> bajo Guadarrama frío
> tan hermoso, tan sombrío,
> con tu adustez castellana
> corrigiendo
> la vanidad y el atuendo
> y la hetiquez cortesana.

Esta vivencia se repite cuantas veces tiene que aludir el poeta a la realidad o a la vida de Madrid. Más aún, a la realidad o a la vida de toda gran ciudad:

> En este remolino de España, rompeolas
> de las cuarenta y nueve provincias españolas,
> Madrid del cucañista, Madrid del pretendiente...,

define, con ocasión de su brindis en honor de Grandmontagne. Y en otro lugar, con muchas veras bajo la aparente broma, estampa esta sentencia:

> ¡Este placer de alejarse!
> Londres, Madrid, Ponferrada,
> tan lindos... para marcharse.

La vida de la ciudad hastía a Antonio Machado. Ante ella, la victoria es la fuga. Huir, huir de la ciudad, como ese loco que pinta en *Campos de Castilla.* Un loco huye de la ciudad. ¿Quién es? ¿No es, por ventura, un Quijote más triste que el de la Mancha, un Quijote sin Amadises a quienes superar, un loco para el que sólo "hay un sueño de lirio en lontananza"?

> Huye de la ciudad... Pobres maldades,
> misérrimas virtudes y quehaceres
> de chulos aburridos y ruindades
> de ociosos mercaderes.
> ... ...
> Huye de la ciudad. ¡El tedio urbano!
> —¡carne triste y espíritu villano!—.

"La mejor defensa es huir, huir al desierto", nos ha dicho Unamuno ante el espectáculo de Madrid. Lo mismo repite Antonio Machado, tan fiel al común sentir de todos sus camaradas.

¿Y Valle-Inclán? ¿Qué huella ha dejado el contacto juvenil con Madrid en la "verde senectud de dios pagano" que Antonio Machado veía en la espléndida madurez del gran celta castellanizado? Tres ventanas principales hay en la obra de Valle-Inclán para contemplar su imagen del Madrid en que vivió: la "Vista madrileña" de *La pipa de kif* y los esperpentos *Luces de bohemia* y *La hija del capitán.* La "Vista madrileña" es la estampa irónica, grotesca, de una calle popular de Madrid: pregones, murguistas, ambiente de taberna, tranvías chirriantes y un pueblo miserable o brutal son los elementos de la descripción. Una luz agria ilumina el cuadro:

> Agria y triste brota
> la luz, una nota
> de cromo y añil.
> Pueril y lejana
> tañe una campana
> su rezo monjil.

míos. No creo que tenga yo ni un solo libro, en los cuarenta
volúmenes, ajeno a España." Nosotros hemos sabido dar
—añade— "entonación lírica y sentimental a cosas y hombres de España... Lo que los escritores de 1898 querían era
no un patriotismo bullanguero y aparatoso, sino serio, digno,
sólido, perdurable. A ese patriotismo se llega por el conocimiento minucioso de España. Hay que conocer —amándola— la historia patria. Y hay que conocer —sintiendo por
ella cariño— la tierra española". Este amor a la realidad y
a una idea ideal de España, si se me permite la expresión,
justificaría, piensa *Azorín*, la violenta agresividad crítica de
los escritores del 98: "El escritor —en este caso el del 98—
pone fe, confianza, amor, escrupulosidad en su trabajo. Cree
en la belleza y cree en España. Podrá haber en su produ-
cirse agresividades y acrimonias. La misma fe en su ideal,
opuesto a otro ideal, las motiva." Sea cualquiera nuestro
juicio sobre las agresividades y acrimonias de entonces, ¿podrá negarse que es el amor a España la instancia que suscita
y empapa las páginas de *Los pueblos*, de *Castilla*, de *Una
hora de España?*

En uno de sus libros más agrios y agresivos, *Juventud y
egolatría*, se cree Baroja en el deber de afirmar la existencia
y la índole de su patriotismo: "Yo parezo poco patriota —declara— y, sin embargo, lo soy... Tengo normalmente la
preocupación de desear el mayor bien para mi país, pero no
el patriotismo de mentir. Yo quisiera que España fuera el
mejor rincón del mundo... El clima de la Turena y de la
Toscana, los lagos de Suiza, el Rhin con sus castillos, todo
lo mejor de Europa lo llevaría por mi voluntad entre los
Pirineos y el Estrecho. Al mismo tiempo desnacionalizaría a
Shakespeare y a Dickens, a Tolstoi y a Dostoievski, desearía
que rigieran en nuestra tierra las mejores leyes y las mejores costumbres. Mas al lado del patriotismo de desear, está
la realidad. ¿Qué se puede adelantar con ocultarla? Yo creo
que nada... Alguno dirá: este patriotismo de usted no es
más que una irradiación del egoísmo y de la utilidad. ¡Claro
que sí! ¿Es que puede haber otro patriotismo?" Llega Baroja
hasta dar una definición del patriotismo: es —o debe ser—
"la verdad nacional, calentada por el deseo del bien y por
la simpatía". Español "por esencia, por íntima naturaleza", le
considera César Barja. Lo es, en efecto; y no sólo porque
su modo de escribir, sentir y novelar permita adscribirle a
uno de los tipos psicológicos que convencionalmente se consideran españoles "castizos" —su radical individualismo, por
ejemplo—, sino por "el anhelo de reforma y la esperanza de
mejora" —otra vez empleo palabras de Barja— que laten
bajo sus críticas "injustas y exageradas, irrespetuosas y
groseras". ¿En cuántas novelas de Baroja falta —brutalmen-

te expresada, a veces— una ostensible amargura frente a las zonas miserables y dolorosas de la vida española?

No menos patente y constante es la preocupación española en la obra lírica de Antonio Machado. Su patriotismo es también —como el de Unamuno, *Azorín* y Baroja— un patriotismo "de desear". Desea que la "hermosa tierra de España" se cubra de vida alegre y luminosa:

> ¡gentes del alto llano numantino
> que a Dios guardáis como cristianas viejas,
> que el sol de España os llene
> de alegría, de luz y de riqueza!;

y en ese cántico impetratorio está la cifra de su pasión por España.

Más perceptible es aún, si cabe, la constante afección a España en la obra de Ganivet y de Maeztu. Ganivet trata el problema de España en sus dos obras capitales: directamente en el *Idearium*, de modo alegórico en *Los trabajos de Pío Cid*. Maeztu llega hasta la conversión religiosa a fuerza de sentir en las entrañas de su alma el problema histórico de España. He aquí sus propias palabras: "Ha sido el amor a España y la constante obsesión con el problema de su caída lo que me ha llevado a buscar en su fe religiosa las raíces de su grandeza antigua." Y en cuanto al sentir de Valle-Inclán, el más próximo quizá a la condición de literato "puro", me conformo con transcribir unas palabras suyas, pronunciadas en el banquete con que en 1932 se celebraron sus fracasos oficiales y su cesantía: "España tiene, como las monedas, dos caras: una, romana e imperial, y otra, berberisca y mediterránea. España va a América como una hija de Roma; pero lleva también la faz berberisca y mediterránea. Como hija de Roma, lleva allí una lengua, establece un cuerpo de doctrina jurídica y funda ciudades. En la hora presente se quiere volver al bárbaro berberismo mediterráneo. Es necesario que volvamos la medalla y no tengamos más que una faz: la que nos hace hijos de Roma."

Todos aman a una imagen y a un ensueño de España, y todos repudian la España que sus ojos descubren. Aman a España con amor amargo. Lo que su amor tiene de positivo lo veremos luego; lo que tiene de amargo —su violenta crítica de aquella España— voy a exponerlo ahora. Cumpliré mi propósito poniendo en orden sistemático las expresiones que nos revelan esa crítica amargura.

Creo no proceder con excesivo artificio ordenando los juicios de la generación en tres grandes apartados, correspondientes a otras tantas fracciones sistemáticas de la vida española:

1. Crítica de la vida española en lo que ésta tenía entonces de "civilizada" y "moderna". La repulsa se referirá unas
veces a la vida civilizada y moderna en sí, y otras a la
manera española de copiarla.

2. Crítica de la historia de España y de las formas de
vida que, a modo de secuela, actualizaban entonces la fracción inaceptada e inaceptable de esa historia.

3. Crítica de la peculiaridad psicológica del hombre español, así la depediente de su índole nativa o racial (casticismo de casta, temperamento) como la engendrada por la
singularidad de la historia de España (casticismo histórico).

Trataré de contestar sucesivamente a cada una de estas
cuestiones. Pero antes de iniciar la respuesta no estará de
más advertir al lector que sólo por vía de abstracción racional pueden aislarse esos tres elementos integrantes de la
realidad y de la crítica. Como decía el propio Unamuno, es
"descabellado el empeño de discernir en un pueblo o en una
cultura, en formación siempre, lo nativo de lo adventicio".

VERSIÓN ESPAÑOLA DE LA VIDA MODERNA

Hay en todos los hombres del 98, más o menos visible,
cierto desdén por las formas de vida que suelen llamarse "civilizadas" y "modernas", cuyo último fundamento es la me-
canización técnica del existir del hombre. Todos prefieren el
paisaje a la fábrica y, como Unamuno, combatirán "la
creencia de que la civilización está en el retrete, en las
calles bien encachadas, en los ferrocarriles y en los hoteles".
Del espíritu moderno aceptan y aun reclaman, en cambio,
el principio de la libre discusión de todo lo discutible y la
tesis de una convivencia política basada en esa libre discusión, en la sinceridad, en el decoro del vivir y en un relativo
respeto —la relatividad atañe, es obvio, a la expresión verbal— frente a la vida del prójimo.

¿Ven conseguido esto en una España que proclama estos
mismos principios y se llama a sí misma liberal? En modo
alguno. De aquí que los dardos de su crítica se enderecen,
muy en primer término, contra dos blancos distintos: forman el primero los hombres e instituciones de la vida española que, titulándose liberales y modernos, no saben o no
quieren cumplir españolamente los anteriores principios;
constituyen el segundo las instituciones y los hombres que,
por empeñarse en conservar formas de vida ya prescritas,
niegan programáticamente la validez de los principios suso-
mentados y hacen imposible su efectividad.

Unamuno va a la cabeza del grupo en este empeño disec-
tor y crítico. He aquí, densamente arracimados, algunos de
sus textos y juicios más significativos.

Afirmación de la estructura "moderna" de la vida española, no obstante la peculiaridad de la historia de España: "la estructura económico-social de nuestra actual sociedad española... es más análoga acaso a la estructura económico-social de la actual sociedad noruega que a la de nuestro pueblo en los siglos XVI y XVII".

Carácter radicalmente adversativo, polémico, de los partidos políticos españoles, ausencia de espíritu constructivo: "Puede decirse que nuestros republicanos no son sino anti-monárquicos y no sino antirrepublicanos nuestros monárquicos."

Cobardía civil, afán de irresponsabilidad personal como rasgo definidor de la vida política y social moderna, singularmente la española: "El gran principio de la vida social moderna, sobre todo en nuestro país, es el principio de la delegación: lo delegamos todo. Y no son los que más truenan contra el autoritarismo los que menos buscan apoyarse en ajena autoridad."

La mendacidad, hábito operativo fundamental de la vida política española que Unamuno contempla: "Nuestro Parlamento, esa catedral de la mentira." Y en otro lugar: "Nada puede sustentarse sobre la mentira. Es la raíz de las raíces de la triste crisis por que está pasando España, nuestra patria. Todo se quiere cimentar sobre la mentira."

Dogmatismo, intransigencia, intelectualismo (en el sentido unamuniano de esta palabra: *vide infra*) de los librepensadores y de los sedicentes liberales españoles: "Los librepensadores españoles profesan el librepensamiento a la católica española: sustituyen la superstición religiosa con la superstición científica..., y si antes juraban por Santo Tomás, luego juran por Haeckel o por otro ateólogo cualquiera." "Estos dos bandos (intelectuales católicos e intelectuales no católicos, que de hecho resultan anticatólicos) luchan dándose cara, es decir, mirando los unos a un lado y los otros al otro, pero en el mismo terreno, sobre el mismo plano de la intelectualidad. Y ¡ay del que les dirija su voz, o desde arriba o desde abajo de ellos..., desde el suelo de la espiritualidad o desde el suelo de la carnalidad! Únense unos y otros en reputarle loco o bruto."

Grosería intelectual de los no católicos en España y frecuente confusión suya entre libertad y licencia: "La moda en España entre los no católicos o los anticatólicos ha sido repetir todas las inepcias y todo los disparates que contra el cristianismo han barbotado los ignorantes, los superficiales, los viciosos, los locos o los desesperados." "Aquí no se distinguen los conservadores por su rigorismo ético, contentándose con cubrir las formas, pero en cambio los partidos que se llaman a sí mismos avanzados defienden, en una u otra forma, la licencia. Lo cual va unido al especial tono de grosería o de vulgaridad que ha distinguido siempre a nuestro progresismo." "Lo que me parece lamentabilísimo y triste es que se cifre en la licencia carnal el sentido de la libertad... Mientras aquí no haya un buen número de liberales que se acuesten a las diez, no beban más que agua, no jueguen a juegos de azar y no tengan querida, andaremos mal."

Vejamen de Salmerón, en tanto político: "Salmerón, este funestísimo república, calumnió una vez más a su patria diciendo que es hostil al progreso —¿a qué progreso?—, palabras que recuerdan a las de aquel triste discurso que dejó caer en el Congreso el día 9 de junio de 1902, y en que pedía que nos pongamos a la cola y al servicio de Francia."

Menosprecio de la literatura regeneracionista, no obstante haber participado en ella, y de la "revolución desde arriba"; equivocación y equívoco de Maura y de Costa: "Un retablo hay en la capital de mi patria y la de Don Quijote, donde se representa la libertad de Melisendra o la regeneración de España o la revolución desde arriba, y se mueven allí, en el Parlamento, las figurillas de pasta... Y hace falta que entre en él un loco caballero andante y, sin hacer caso de voces, derribe, descabece y estropee a cuantos allí manotean..." Tan expresivo como éste es un pasaje de *Del sentimiento trágico*: "Aquella hórrida pedantería de hablar del trabajo perseverante y callado —eso sí, voceándolo mucho...—. En esa ridícula literatura caímos casi todos los españoles, unos más y otros menos, y se dió el caso de aquel archiespañol Joaquín Costa, uno de los espíritus menos europeos que hemos tenido, sacando lo de europeizarnos y poniéndose a *cidear* mientras proclamaba que había que cerrar con siete llaves el sepulcro del Cid y... conquistar África. Y yo di un ¡muera Don Quijote!, y de esta blasfemia, que quería decir todo lo contrario que decía —así estábamos entonces—, brotó mi *Vida de Don Quijote y Sancho* y mi culto al quijotismo como religión nacional."

Radical incultura de los españoles que pasan por cultos (en rigor, sólo semicultos o seudocultos) y ausencia de interés por el saber en la sociedad española: "La inmensa mayoría de los españoles con título creen bajo autoridad, y no más que bajo autoridad, que la Tierra gira en derredor del Sol, siendo incapaces de aducir las pruebas de orden objetivo en que tal principio astronómico se asienta." "Nuestro pueblo no quiere leer, sino que le lean o reciten, y por eso cobra aquí reputación y fama antes el orador que el escritor..." He aquí una exposición muy unamuniana de lo que intelectualmente era la sociedad española en 1902: "La inmensa mayoría de los españoles, aun de los que podríamos llamar cultos..., maldito si creen en la eficacia del maestro de escue-

la...; les carga la ciencia y están convencidos de que los
brutos e ignorantes son más felices que los intelectuales y
cultos; fáltales fe en la cultura...; un positivismo brutal y
práctico —el teórico nos liberta de este otro— infesta a
nuestras clases dirigentes; en los casinos, en que están siempre ocupadas las mesas de tresillo, no se ve entrar a nadie
en los salones de lectura...; el filisteísmo de nuestra clase
media se reduce a un terrible beotismo; se llama teórico,
soñador o idealista a quien no enfoca las altas cuestiones
desde el bajo punto de mira de los intereses personales, loca-
les o regionales; cunde la concepción hospiciana del Estado; se sostiene abierta o solapadamente que un instituto
cualquiera de enseñanza es un medio de dar vida a una loca-
lidad o comarca..." Nos pierde a los españoles y a todos los
de nuestra lengua, en suma, un "materialismo disfrazado
de practicismo". ¿No es sorprendente la coincidencia entre
este retrato unamuniano de la sociedad española de la Restauración y el que pintó Menéndez Pelayo en el Epílogo a
su *Historia de los heterodoxos*?

Añádanse a este cuadro, ya tan poco lisonjero, las notas
descriptivas que Unamuno apunta en diversos lugares de su
obra escrita: la ramplonería; "esta sociedad agobiada por la
ramplonería"; la "falta de intimidad"; la "soberbia colectiva", una soberbia "que no se vierte en obras por temor al
fracaso"; la "sobra de codicia unida a la falta de ambición".
La mayor parte de la juventud que ve es una "juventud res-
petuosa, aduladora de los hombres viejos y de las fórmulas
viejas del mundo viejo todo" (es en 1896); "no son pocos
los jóvenes que dan en ensalzarse, ya directamente, ya por
medio del elogio mutuo". Y, para que ningún joven de entonces (1904) sea ajeno a la catilinaria, arremete hasta contra los que emplean el "venerando nombre de Ibsen" y el
"no menos venerando de Nietzsche" para "cazar destinos y
posiciones sociales" o para la "rebusca del pan de cada día".
Todo lo cual no impide que, de cuando en cuando, aparezca
en las páginas de Unamuno el verdor de una observación
consoladora: "Toda España está progresando, y está progresando muchísimo, digan lo que quieran los agoreros de des-
dichas."

No son muy distintos de los juicios y las invectivas de
Unamuno las invectivas y los juicios de *Azorín* acerca de la
vida histórica y social de España entre 1890 y 1910. Nota
fundamental de esa España es el desconcierto: "el tremendo
desconcierto de la última década del siglo xix". Ya sabemos,
por otra parte, la opinión que por boca del "maestro Yuste"
expresa *Azorín* acerca de la llamada revolución de septiembre, y de Campoamor, encarnación de "todo el ciclo de la
Gloriosa". También conocemos el retrato que traza *Azorín*

del diputado triunfante en Yecla, símbolo de todos los diputados triunfantes en todas las elecciones posibles. He aquí una imagen muy representativa de los que en Madrid se dedican a la industria política, tal como a su llegada los descubre Antonio Azorín: "No hay cosa más abyecta que un político: un político es un hombre que se mueve mecánicamente, que pronuncia inconscientemente discursos, que hace promesas sin saber que las hace, que estrecha manos de personas a quienes no conoce, que sonríe, sonríe siempre con una estúpida sonrisa automática"; y en la fábula sobre "El origen de los políticos", intercalada entre las páginas de *Antonio Azorín*, quedan éstos definidos como hombres que "no llevaban la inteligencia en la cabeza ni la tenían guardada en casa". No salen mejor librados, por supuesto, los profesionales de la literatura: lo que más repugnancia inspira a Antonio Azorín durante su aventura madrileña es "la frivolidad, la ligereza, la inconsistencia de los hombres de letras"". Inconsistencia: tal vez sea esta palabra la que más acabadamente exprese el juicio de los hombres del 98 acerca de la vida histórica de aquella España.

Metido en ella, siente *Azorín* secarse todos los manantiales de sus posibles acciones creadoras: "¿Qué hacer?... ¿Qué hacer?... Yo siento que me falta la fe; no la tengo tampoco ni en la gloria literaria ni en el progreso..., que creo dos solemnes estupideces... ¡El progreso! ¿Qué nos importan las generaciones futuras?" La visión de unos progresistas, sedicentes revolucionarios, "en secreta y provechosa concordia con los explotadores", ha quitado al joven Antonio Azorín toda fe en el progreso. Ni siquiera los jóvenes de entonces, los jóvenes entre los cuales vive Antonio Azorín, logran evadirse del juicio condenatorio acerca de la sociedad que configura sus almas: "esta insignificancia rastrera, propia de un espíritu sin idealidad, sin altura, sin grandeza, es como el símbolo de esta juventud de la que yo formo parte, entre la que yo vivo; de esta juventud que, como la otra juventud pasada, la vejez de hoy, no tiene alientos para remontarse sobre las miserias de la vida..."

Si Don Quijote reviviese no vería los prados amenos y los palacios maravillosos que vió en la cueva de Montesinos. "Hoy Don Quijote redivivo —advierte *Azorín*— no bajaría a esta cueva; bajaría a otras mansiones subterráneas más hondas y terribles. Y en ellas, ante lo que allí viera, tal vez sentiría la sorpresa, el espanto y la indignación que sintió en la noche de los batanes..."; porque "vería negada la oterna justicia y el eterno amor a los hombres". Así, con esta estampa de la sociedad en que existe, compendia José Martínez Ruiz las impresiones de su visita a la cueva de Montesinos.

En el homenaje que en 1905 tributó a Ganivet el Ateneo de Madrid, vuelve a expresar *Azorín* su visión de la vida histórica española: "pensemos en nuestras campiñas yermas; en nuestros pueblos tristes y miserables; en nuestros labradores atosigados por la usura y la rutina; en nuestros municipios explotados y saqueados; en nuestros Gobiernos formados por hombres ineptos y venales; en nuestro Parlamento atiborrado de vividores. Pensemos en esta enorme tristeza de nuestra España...". Cuando las gentes superficiales encuentran a Madrid más alegre y confiado, por usar palabras inventadas por otro miembro de la generación, *Azorín*, representando a todos sus camaradas, sólo descubre en la vida española una "enorme tristeza". Ni siquiera las predicaciones regenerativas, tan hueras, tan falsas, logran evadirse del repudio: "Yo veo que todos hablamos de regeneración..., que todos queremos que España sea un pueblo culto y laborioso... —enseña el maestro Yuste—, pero no pasamos de deseos platónicos...; y la política ha dejado de ser romanticismo para ser una industria, una cosa que da dinero... Todos clamamos por un renacimiento y todos nos sentimos amarrados en esta urdimbre de agios y falseamientos..." La conclusión del maestro no es desesperada, pero sí grave y exigente: "Esto es irremediable, Azorín, si no se cambia *todo*... Los unos son escépticos, los otros perversos..., y así caminamos, pobres, miserables, sin vislumbres de bonanza..., arruinada la industria, malvendiendo sus tierras los labradores."

La crítica escrita de Antonio Machado es algo más tardía de fecha, pero no de acento y contenido diferentes. En Madrid —"Madrid del cucañista, Madrid del pretendiente"— son muy pocos, a los ojos del poeta, los hombres titulares de vida digna y decorosa:

> ... *la poca gente*
> — ¡*tan poca!* — *sin librea, que sufre y que trabaja*
> *y aun corta solamente su pan con su navaja.*

Y en cuanto a la ciudad de provincia, ¿quién no recuerda sus dos retratos del señorito provinciano? Uno, el "que vió a Carancha recibir un día", jugador de los de azar y cronista emocionado de toreros, tahures y matones, es liberal a la española

> —*bosteza de política banales*
> *dicterios al gobierno reaccionario,*
> *y augura que vendrán los liberales*
> *cual torna la cigüeña al campanario*—,

y representa la fracción del progresismo decimonónico aco-
modada a la Restauración:

> es una fruta vana
> de aquella España que pasó y no ha sido
> esa que hoy tiene la cabeza cana.

El otro, don Guido, estampa del señorito andaluz —las palabras de las rimas consonantes son los rasgos de su retrato:
"serrallo", "caballo", "Sevilla", "manzanilla", "pagano", "co-
fradía"—, representa al caballero sostenedor de las tradicio-
nes conservadoras. Ante su fino y amarillo cadáver hace
Machado inventario español y humano de su vida:

> Alguien dirá: ¿qué dejaste?
> Yo pregunto: ¿qué llevaste
> al mundo donde hoy estás?;

y todavía son más duros y agresivos los acentos de sus críticas cuando éstas, en lugar de referirse a un tipo social,
atañen al espectáculo de España entera:

> la España de charanga y pandereta,
> cerrado y sacristía,
> devota de Frascuelo y de María.

En 1913, cuando gobiernan a España Romanones o Dato
—igual da—, compone Machado cuatro de los más atroces versos que jamás se hayan escrito sobre la realidad de
la vida española o, por lo menos, de una gran parte de ella:

> Esa España inferior que ora y bosteza,
> vieja y tahur, zaragatera y triste;
> esa España inferior que ora y embiste,
> cuando se digna usar de la cabeza... (1).

El vacío intelectual, la caducidad y el bostezo son los
rasgos fundamentales de la España oficial que Machado contempla. Vedle otra vez ante el hastío del español de casino y
dominó:

> —Nuestro español bosteza.
> ¿Es hambre? ¿Sueño? ¿Hastío?
> Doctor, ¿tendrá el estómago vacío?
> —El vacío es más bien de la cabeza.

---

(1) El retrato es manifiestamente brutal e injusto. Si el espíritu
cristiano de los españoles que oran no es en todos ellos suficientemente
acendrado y consecuente, decir eso de la "España que ora" es una
brutal injusticia. Antonio Machado no conocía suficientemente a esa España. Lo peor que puede decirse de esos cuatro versos es que son
indignos del poeta Antonio Machado.

diagnostica el poeta. He aquí, en fin, su personal visión
de la España partida e insatisfactoria:

> Ya hay un español que quiere
> vivir, y a vivir empieza,
> entre una España que muere
> y otra España que bosteza.
> Españolito que vienes
> al mundo, te guarde Dios.
> Una de las dos Españas
> ha de helarte el corazón.

Pero Machado, aunque no fuese sino mediante el recurso
del ensueño, no quiso que su corazón se le helase en el
dilema. Luego expondré la vía por la cual creyó poder
evadirse de él.

Espigar en la obra de Baroja juicios agresivos sobre la
España que vió en su juventud y ha ido viendo en su madurez, es como buscar agua en el mar. Es así, tanto por la
hiriente insuficiencia histórica que aquella sociedad mostraba a todo espíritu ambicioso y delicado, como por la real
amargura de solitario que Baroja sufre —"tengo el pensamiento amargo", hace confesar a Fernando Ossorio en *Camino de perfección; "la vida es una mala broma"*, añade
luego; "la vida le parecía una cosa fea, turbia, dolorosa e
indominable", dice de Andrés Hurtado en *El árbol de la
ciencia*—, como, en fin, por esa innegable afición al impro-
perio —una afición entre jactanciosa y retórica, a mi juicio— que Ortega descubrió en Baroja. Buena parte de las
novelas de Baroja, y muy singularmente las que componen
las trilogías, *La raza, La lucha por la vida* y *Las ciudades,*
están consteladas de impresiones terribles, cuadros descrip-
tivos feroces y sentencias críticas escalofriantes acerca de
la España de la Restauración y la Regencia. Aquí me limitaré a ordenar unos cuantos juicios emitidos directamente
por el hombre Pío Baroja, y no a través de uno u otro de
los personajes inventados por el novelista.

En su conferencia de la Sorbona describe Baroja su visión de España a fines del siglo XIX: "la vida española se
iba desmoronando por incuria, por torpeza y por inmorali-
dad. Este período... fué una época de verdadera corrupción,
de grandes fracasos y de algunas ilusiones, de muchas cosas
malas y de algunas buenas. España... parecía entonces una
mujer vieja y febril que se pinta y hace una mueca de
alegría". Todo este importante texto autobiográfico está re-
zumando conclusiones censorias del mismo corte: "Éramos,
para la mayoría, una excepción desagradable en la civilización europea. En las esferas oficiales de España reinaba

tiene de negativa la actitud del grupo frente a nuestra historia.

Cuando Unamuno contempla con ojos de historiador —de español historiador, por supuesto— la España de su tiempo advierte en ella un progresivo encogimiento: "Hemos venido —dice— de la *Hispania maior* a la *Hispania minor*, y quiera Dios que no nos lleve a la *Hispania mínima; de las Españas...* a la España de hoy." Pero no todo es decrepitud en el cuerpo de nuestra *Hispania minor*. Hay en su entraña misma una pugna problemática y esperanzadora: "la vieja casta histórica luchando contra el pueblo nuevo". ¿Qué notas distintivas ofrece a sus ojos la pervivencia de esa "vieja casta histórica"?

Cinco son, en mi entender, las fundamentales: dogmatismo intelectualista, espíritu inquisitorial, fosilización del espíritu religioso, entendimiento nacionalista del patriotismo y concepción militarista del Ejército.

Consistiría el dogmatismo intelectualista en la reducción de la vida del espíritu a fórmulas racionales invariables. Dogmáticos, en este sentido, fueron y siguen siendo, piensa Unamuno, todos los "pueblos de lengua castellana, carcomidos de pereza y de superficialidad de espíritu, adormecidos en la rutina del dogmatismo católico o del dogmatismo librepensador o cientificista". Hasta nuestra lengua —"sangre de mi espíritu", la llama Unamuno en un famoso soneto— se habría hecho molde dogmático del pensamiento que expresa: "de tal modo ha encarnado en la lengua el empecatado dogmatismo de la casta, que apenas se puede decir nada en ella sin convertirlo en dogma al punto". El dogmatismo, la pasión dogmatizante, vicio antiguo y reciente de España: "Aquí hemos padecido de antiguo un dogmatismo agudo; aquí ha regido siempre la inquisición inmanente, la íntima y social, de que la otra, la histórica y nacional, no fué más que pasajero fenómeno." Tan castizo —tan *históricamente* castizo, precisaría Unamuno— es entre nosotros el dogmatismo, que en él vienen a incurrir, según don Miguel, hasta nuestros más fervorosos antidogmáticos.

Secuela inmediata del dogmatismo sería nuestro perdurable espíritu inquisitorial. "La miseria mental de España arranca del aislamiento en que nos puso... el proteccionismo inquisitorial, que ahogó en su cuna la Reforma castiza e impidió la entrada a la europea." Ponga muy buena atención el lector en eso de la "Reforma castiza". "España fué y en más de un respecto sigue siendo —escribe Unamuno unos años más tarde— la tierra de la Inquisición"; por eso puede florecer entre nosotros el integrismo, "que es el triunfo del máximo de individualidad compatible con el mínimo de personalidad". Hasta el predominio del teatro en nuestras letras

sería una consecuencia de nuestro espíritu inquisitorial: "¿No
es, por ventura, esa predominancia del teatro... una manifestación más del condenado espíritu inquisitorial, con que
nuestro pueblo trata de ahogar siempre a toda personalidad
que se revela tal?" Vivo y operante lo ve Unamuno en la
España de su tiempo; tanto, que no vacila en considerarlo
más intenso que durante el mismísimo siglo de Felipe II:
"Hay hoy —escribe— menos libertad íntima que en la época
de nuestro fanatismo proverbial: definidores y familiares del
Santo Oficio se escandalizarían de la barbarie de nuestros
obispos de levita y censores laicos."

Dogmatismo y espíritu inquisitorial, antes caracteres castizos de nuestra casta histórica que expresiones primarias del
espíritu cristiano, habrían dado históricamente a la religiosidad española, según Unamuno, su estilo rígido, formulario,
inflexible; y un catolicismo así hecho a nuestra casta consti-
tuiría, indudablemente, la nota fundamental del patriotismo
conservador y tradicional. "La religión católica —dice una
vez— ...ha influído y sigue influyendo en el modo de ser,
de vivir, de pensar y de sentir del pueblo español, tanto o
más —creo que mucho más— que su lengua, su legislación
y su historia." "No sé si debido a la lucha de ocho siglos
que nuestros abuelos sostuvieron con los moros... el caso es
que aquí... se ha operado cierta fusión entre el sentimiento
patriótico y el religioso, dañosa a ambos, pero más acaso al
religioso que al patriótico." La crítica del enlace entre una
religiosidad convertida en fórmula rígida, así intelectual como
operativa (una religiosidad "intelectualizada", en el sentido
unamuniano), y un patriotismo dogmático e inquisitorial, es
uno de los temas favoritos de Unamuno. Dedícale completo
el ensayo *Religión y Patria*, y buena parte de los tres que
consagra a estudiar la crisis del patriotismo español.

No obstante, Unamuno duda vehementemente de que sea
en verdad religioso el patriotismo español. "Se habla mucho
—advierte— de la religión del patriotismo; pero esa religión está, en España por lo menos, por hacer. El patriotismo
español no tiene aún carácter religioso —no dice Unamuno
ya, dice *aún*, cara al futuro—, y es que le falta base de
sinceridad religiosa." Por fuerza ha de pensar así, viendo
tanta falsedad en el ostentoso e inconsistente catolicismo de
quienes entonces gobiernan la España oficial: "En el orden
religioso, toda la miseria de esta pobre España, enfangada
de mentiras, es que se perpetúa una mentira: la mentira de
que España sea católica... No son católicos en su mayoría
los que, haciendo pública confesión de serlo, escalan los altos
puestos. Y mientras esa mentira no se borre, España no
acabará de ser cristiana."

Afirma Unamuno, por otra parte, la existencia de una "contaminación" económicosocial de nuestro patriotismo religioso. Por acusada que sea la peculiaridad impuesta al patriotismo tradicional español por su impregnación religiosa, no habría podido eludir totalmente el matiz burgués y capitalista que desde su nacimiento distingue a todos los patriotismos nacionales. "El nacionalismo, el patriotismo de las grandes agrupaciones históricas, cuando no es hijo de la fantasía literaria de los grandes centros urbanos (momento "burgués", en el sentido más estricto de la palabra, del patriotismo nacionalista), suele ser producto impuesto a la larga por la cultura coercitiva de los grandes terratenientes (momento "capitalista", capitalismo tradicional)." Contra este patriotismo parece levantarse otro nuevo, popular y regenerado —el patriotismo que Unamuno tratará de encauzar y definir—: "España también ha entrado en esta crisis regenerativa del patriotismo, y los literatos no lo saben en general, y sigue la prensa soplando en el viejo clarín y oficiando en el culto a la patria de los terratenientes." Luego veremos en qué consiste ese patriotismo castizo y cosmopolita —el patriotismo quijotista—, que Unamuno adivina y defiende.

El patriotismo que Unamuno repudia —dogmático, inquisitorial, formulario o no íntimamente religioso, el de la patria de los terratenientes— se hallaría sustentado por "el viejo espíritu militante ordenancista". "Aún persiste...", dice de ese "viejo espíritu" el joven Unamuno al final de En torno al casticismo. "Su foco de vida —define en otro lugar, aludiendo a ese espíritu ordenancista y autoritario porque sí— es el culto al coraje, al arrojo, a la energía como continente, aunque sea sin contenido emocional ni intelectual." Contra esta energía ciega y contra el falso patriotismo de los que la reclaman como panacea de los males de España —los voceadores del "todo se arregla con palo"— dirigirá frecuentes venablos la crítica de Unamuno.

Así ve Unamuno las secuelas que de nuestro pasado subsisten en la sociedad española que le rodea. Y como le desplacen, se siente obligado a estimar peyorativamente el pasado de que esas secuelas proceden. En el capítulo siguiente expondré con algún detalle las ideas unamunianas acerca del suceder histórico. En éste, aun a sabiendas de no ofrecer todavía una interpretación completa de los textos que aduzco, intentaré mostrar sinópticamente cómo ve y juzga Unamuno el curso de la historia de España.

Sería sustrato informe de nuestra historia, materia primera de todas sus posibles formas —piensa Unamuno—, una "casta latina y germánica", una "casta" más espiritual que racial: "de raza española fisiológica nadie habla en serio, y, sin embargo, hay casta española, más o menos en formación, y latina y germánica, porque hay castas y casticismos espirituales por encima de todas las braquicefalias y dolicocefalias habidas y por haber". Esa "casta espiritual latina y germánica" consistiría en un difuso modo de ser del pueblo español consecutivo a la invasión gótica, en la cual ve Unamuno "el principio de la regeneración de la cultura europea ahogada bajo la senilidad del Imperio decadente".

La invasión árabe partió a esa casta primitiva "en multitud de estadillos" y la forzó a un larguísimo período de lucha y reconquista. Estos largos siglos de la Reconquista habrían sido decisivos para nuestra historia ulterior.

En primer lugar, por razón de la lucha misma. La lucha contra el invasor árabe impregnó de activismo y pugnacidad el estilo histórico del vivir español y contribuyó enérgicamente al engarce, tan nuestro, del patriotismo nacional y la religiosidad católica. Fué decisiva la Reconquista, además, por el predominio —monopolio, al fin— que durante ella alcanzó Castilla sobre los reinos y comarcas restantes de España. Tres momentos distintos, conexos los tres entre sí, habrían favorecido el encumbramiento hegemónico de Castilla sobre las restantes comarcas españolas: uno geográfico (geopolítico, como ahora decimos), su situación central; otro económico, su condición de granero de España; y el tercero psicológico, dependiente de la nativa peculiaridad del temperamento castellano: "Cuando lo que hacía falta era una fuerte unidad central, tenía que predominar el más unitario; cuando se necesitaba una vigorosa acción hacia el exterior, el de instinto más conquistador e imperativo. Castilla, en su exclusivismo, era menos exclusiva que los pueblos que, encerrados en sí, se dedicaban a su fomento interior." A favor de estas tres instancias, "Castilla, sea como fuere, se puso a la cabeza de la monarquía española y dió tono y espíritu a toda ella; lo castellano es, en fin de cuentas, lo castizo".

La monarquía de Castilla adquirió su definitiva forma histórica en el filo de los siglos xv y xvi. Dos componentes distintos parece advertir Unamuno en esa forma histórica: uno es genérico, y en su virtud se empareja Castilla con todas las "monarquías más o menos absolutas" de aquella Europa; es el otro singular, específicamente castellano, "castizo". Parécese la monarquía española del quinientos a todas las europeas de entonces porque en ella, como en las demás, los reyes, apoyados en el estado llano, supieron "ahogar el feudalismo paleontológico". De manadero popular, *intrahistórico*, ve nacer Unamuno el vigor *histórico* de las monarquías nacionales: "del fondo *continuo* del pueblo llano, de la *masa*, de lo que tenían de común los pueblos todos, brotaron las energías de las individuaciones nacionales".

El componente castizo de nuestra historia durante los siglos XVI y XVII —o, para precisar más, hasta la guerra de la Independencia— es la peculiar impronta que a la vida de los españoles impuso el predominio hegemónico de Castilla: "Castilla paralizó los centros reguladores de los demás pueblos españoles, inhibióles la conciencia histórica en gran parte, les echó en ella su idea, la idea del unitarismo conquistador, de la *catolización* del mundo, y esta idea se desarrolló siguió su trayectoria, castellanizándolos... A partir de aquel *culmen* del proceso histórico de España... fué el destino apoderándose de la libertad del espíritu colectivo, y precipitándose grandezas tras grandezas, nos legaron los siglos sucesivos la *damnosa hereditas* de nuestras glorias castizas." Castilla, en suma, impuso a todos los pueblos españoles un modo histórico de ser y un ideal dominador de las diferencias, un ideal que "se refleja sobre todo en una lengua con la literatura que engendra".

Ya tenemos a España castellanizada. A la "libertad del espíritu colectivo" de la casta originaria —la "casta latina y germánica" de nuestra alta Edad Media— habría puesto Castilla la férula de un destino y de un modo de ser. Testimonios sucesivos de este proceso de castellanización fueron, según Unamuno, el nacimiento de la lengua castellana, la acción exterior de la España castellanizada —su lucha heroica por la catolización del mundo— y, por fin, la "literatura clásica castiza"; la cual brota cuando, "al recogerse la idea castellana, fatigada de luchas y derrotada en parte, al recogerse en sí y conocerse como nos conocemos todos, por lo que había hecho, en el espejo de sus obras..., se percata de que la vida es sueño, piensa reportarse por si despierta un día, y se dice:

> *Soñemos, alma, soñemos*
> *otra vez..."*

Este modo de concebir la historia de España sitúa a Unamuno frente a dos ineludibles tareas: conceptual una, historiográfica la otra. Esfuérzase Unamuno por distinguir conceptualmente entre el "carácter" verdadero de un pueblo y la apariencia de su "historia"; o, si se quiere, entre su "casta íntima y eterna" —luego entenderemos el sentido de esta expresión unamuniana— y su "casta histórica": "Un mezquino sentido —escribe— toma por la casta íntima y eterna, por el *carácter* de un pueblo dado, el símbolo de su desarrollo *histórico*, como tomamos por nuestra personalidad íntima el yo que de ella nos refleja el mundo. Y así se pronuncia consustancial a tal o cual pueblo la forma que adoptó su personalidad al pasar del reino de la libertad al de la historia la forma que le dió el ambiente."

Movido por este distingo conceptual, propónese Unamuno
la empresa historiográfica de deslindar en la historia de España lo que en ella ha puesto accidentalmente el "casticismo histórico" y lo que hay en su entraña por obra de la
españolidad esencial de nuestra "casta íntima y eterna". No
escapa a Unamuno la dificultad del empeño. "La idea castellana, que de encarnar en la acción pasó a revelarse en el
verbo literario —dice—, engendró nuestra literatura *clásica
castiza*. Castiza y clásica, con fondo histórico y fondo intrahistórico, el uno temporal y pasajero, eterno y permanente
el otro. Y está tan ligado lo uno a lo otro... que es tarea
difícil siempre distinguir lo castizo de lo clásico, y aquello
en que se confunden, y aquello en que se separan, y cómo
lo uno brota de lo otro y lo determina y limita y acaba por
ahogarlo no pocas veces." Pero la aspereza de su propósito
no le arredra, y a cumplirlo dedica todo un libro, el titulado
En torno al casticismo, y buena parte de sus restantes ensayos.

¿Cómo se manifestó en la historia y en la vida de España esa férrea acción configuradora del casticismo castellani-
zante? Por lo pronto, matando el alma medieval y mística
de la casta originaria. Después de los Reyes Católicos, "con
el descubrimiento de América y nuestro entremetimiento en
los negocios europeos... entró en España la poderosa corriente del Renacimiento, y nos fué borrando el alma medieval.
Y el Renacimiento era, en el fondo, todo eso: ciencia en forma, sobre todo, de Humanidades y vida. Y se pensó menos
en la muerte y se fué disipando la sabiduría mística".

La disolución renacentista de esa indefinida sabiduría mística medieval aconteció en los países europeos a beneficio
de la ciencia y de la filosofía "modernas". No fué así en España. El molde impuesto a la vida española por el triunfante
casticismo castellano —nuestro casticismo *histórico*— tuvo
un estilo muy singular, que Unamuno trata de precisar estu-
diando analíticamente la lengua, las acciones históricas y la
literatura en que se refleja.

Creo expresar bien el pensamiento de Unamuno diciendo
que para él la nota más fundamental del casticismo castellano consistiría en la invencible tendencia del español castellanizado o castizo a disociar recortada e irreductiblemente
los distintos elementos de su experiencia y de su acción.
O, si se quiere decir de otro modo, en la casi total carencia
de un nimbo sentimental, capaz de fundir en unidad orgánica los diversos componentes, contradictorios a veces, que
integran la vida del hombre.

Nuestras creaciones literarias más castizas —Calderón,
Lope, Guillén de Castro, el Poema del Cid, el Romancero—
no son unidades orgánicas, como las creaciones de Shakes-

peare, sino sucesiones caleidoscópicas de acciones aisladas,
incongruentes con harta frecuencia y dibujadas sobre un
fondo monótono. El español castizo sería incapaz de fundir
en "entrañable armonía" lo real y lo ideal; de la percepción
sensorial de los hechos pasaría, sin transición, al mundo de
los conceptos abstractos. O "hechos", bien reales y bien re-
cortados, o "conceptos" formales, pétreos: tal es el dilema
del teatro de Calderón, símbolo supremo del casticismo castellano. "Espíritu éste dualista y polarizador. Don Quijote y
Sancho caminan juntos, se ayudan, riñen, se quieren, pero
no se funden... Sáltase de los hechos tomados en bruto y
sin nimbo a conceptos categóricos." Shakespeare *funde y
combina* las acciones, Calderón las *petrifica;* las ideas del
inglés son *profundas,* las del castellano *altas;* los dramas de
aquél son el desarrollo de un *suceso humano,* los de éste el
montaje teatral de un *lugar teológico* o de un concepto. Esta
sistemática y ceñida oposición polar que Unamuno ve entre
Shakespeare y Calderón muestra mejor que cualquier otra
cosa la visión unamuniana de nuestro casticismo histórico.

Disociación, disociación siempre, nunca síntesis armoniosa
y entrañable: "disociación entre idealismo y realismo...
Nuestro ingenio castizo es empírico o intelectivo... Pueblo
fanático, pero no supersticioso... Sensitivismo e intelectualismo, disociación siempre".

Esta invencible tendencia disociativa del castellano deter-
minaría la índole del estilo literario castizo, la forzosa dis-
yuntiva entre la retórica oratoria y la retórica dialéctica, el
dilema que para el español constituyen la brusquedad y la
indolencia, la dualidad polar de nuestro librearbitrarismo y
nuestro fatalismo, el individualismo castizo y su secuela,
nuestro anarquismo absolutista, así como las peculiares actitudes del español histórico y literario frente a todos los
ingredientes de la vida humana: el trabajo, el botín, la aventura, la caridad, la justicia, el amor, los vínculos familiares,
las relaciones de hombre a hombre, la ordenación de la
convivencia política y social, el honor, la religión, el saber.

La religiosidad castiza habría correspondido, piensa Unamuno, a la índole de las almas que la profesaban y a la
singularidad de la convivencia social y política entre ellas.
Según el espejo de las descripciones unamunianas, fué la
nuestra una religiosidad unitaria y no compleja, teológica y
no especulativa, metódica y no espontánea, cuasimaniquea,
formulista. "*Una* fe, *un* pastor, *una* grey, unidad sobre todo,
unidad venida de lo alto, y reposo, y reposo además, y su-
misión y obediencia *perinde ac cadaver...* Este pueblo de las
asociaciones y los contrastes se acomodaba bien a afirmar
dos mundos, un Dios y un Diablo sobre ellos, un infierno
que temer y un cielo que conquistar con la libertad y la

gracia... Fué éste un pueblo de teólogos, cuidadoso en *con-gruir* los contrarios... En la teología no hay que desentrañar con trabajos *hechos,* sino combinar proposiciones dadas... Aquellas almas fueron intolerantes, no por salud y vigor, sino por pobreza de complejidad, porque no sólo tolera el débil y el escéptico, sino el que en fuerza de vigor penetra en otros y en el fondo de verdad que yace en toda doctrina, puesto que junto a la tolerancia por exclusión hay otra por absorción... La religión cubría y solemnizaba..." (1). Creo que son suficientes las líneas que transcribo para mostrar cómo veía Unamuno la vida religiosa de la España clásica y castiza.

La tendencia disociativa del casticismo castellano "afirmaba dos mundos —repite Unamuno— y vivía a la par en un realismo apegado a sus sentidos y en un idealismo ligado a sus conceptos". Pero el espíritu del hombre, por muy disociador que sea, no puede eludir su natural tendencia hacia la unidad. También en Castilla hubo hombres que intentaron vencer ese dualismo y alcanzar la unidad; no mediante el recurso intelectual de una armonía metafísica, ni por obra de síntesis dialéctica o de conexión orgánica evolutiva, como luego hicieron o pretendieron hacer los filósofos y los hombres de ciencia europeos y modernos, sino siguiendo la vía de un voluntarismo místico. Ésta parece ser la interpretación psicológica e histórica que da Unamuno acerca del misticismo castellano: el alma castellana —dice— "intentó unir los dos mundos y hacer de la ley suprema ley de su espíritu, saltando de su alma a Dios... En ninguna revelación del alma castellana que no sea su mística se entra más dentro de ella, hasta tocar a lo eterno de esa alma, a su humanidad..."

Según la interpretación unamuniana, nuestra mística sería la clave más idónea para entender el espíritu español. Los españoles habrían llegado a la vía mística compelidos por las tendencias de su casticismo histórico; pero, metidos en ella, lograron adentrarse tanto en sí mismos que traspasaron la corteza de los hábitos históricos en que consistía su "casta externa" y consiguieron alumbrar, mostrándonosla de paso, la "casta íntima y eterna": esto es, aquello que en los españoles hay de verdaderamente humano: "Por su mística castiza es como puede llegarse a la roca viva del espí-

---

(1) En etapas ulteriores de su vida —luego lo veremos— modificó el propio Unamuno muchos de sus juicios primitivos sobre la vida española presente y pretérita. "En mucho he cambiado de parecer y de criterio...", decía, el año 1916, en su "Advertencia preliminar" a la edición definitiva de sus *Ensayos.* Pretendía Unamuno ser *continuo y sincero* (fiel a sí mismo), y no ser *consecuente.*
Por lo demás, esa idea de la religiosidad y de la teología españolas resulta falsa por exceso de simplicidad. Basta pensar que la doctrina de la "ciencia media", tan española, fué una verdadera creación intelectual y no un mero ejercicio combinatorio de proposiciones dadas.

ritu de esta casta, al arranque de su vivificación y de su
regeneración en la Humanidad eterna... En San Juan de la
Cruz... parece se fundieron el espíritu quijotesco y el sancho-
pancino en un idealismo tan realista, como que es la ideali-
zación de la realidad religiosa ambiente en que vivía." Nuestros místicos habrían· llegado a la libertad haciendo *suya* la
ley exterior a que debían someterse; convirtiéndose castizamente en *possessores* de Dios a fuerza de renunciar al mundo
y haciéndose, por tanto, dueños de la ley que desde fuera
se les imponía y habían comenzado acatando: "Buscaban por
renuncia del mundo *posesión* de Dios, no anegamiento en
él... Por ciencia de amor · buscaban *posesión* de Dios, sin
llegar a la identidad de pensar en Dios y ser Dios del maestro Eckart. Aun cuando hablen de perderse en Él, es para
encontrarse al cabo de Él *possessores*." La sabiduría mística
fué, en suma, el camino por el cual nuestro modo de ser
"histórico" y "castizo" —un modo de ser ocasional, relega-
ble al olvido— llegó a saberes y verdades de linaje "eterno"
y "absoluto". Los místicos mostraron cómo se podía pasar
castizamente desde la castellanía a lo que Unamuno llama
la "Humanidad eterna", al conjunto de virtudes, acciones y
saberes válidos para todos los hombres y para cada hombre.

Por todo esto fué la mística castellana nuestra "filosofía
castiza": "el espíritu castellano... tomó por filosofía castiza
la mística". España, que apenas ha tenido filosofía ni filósofos, ni siquiera verdaderos teólogos —piensa Unamuno—, dió
con sus místicos al mundo ejemplo de cómo los españoles,
siendo castellanos castizos, eran también hombres, hombres
capaces de idealizar, "no lo eterno femenino ni lo eterno
masculino, sino lo eterno humano".

Sin embargo, nunca habría quedado exenta la mística
castellana de un matiz rudamente castizo, excesivamente
privativo e histórico para alcanzar la condición sobretempo-
ral y absoluta que tienen las grandes creaciones humanas.
El místico castellano —permítaseme una burda expresión,
en aras a la fidelidad con que refleja el *primer* pensamiento
de Unamuno— se habría cocido con demasiada exclusivi-
vidad en su propia salsa. Sólo cuando la mística fué atem-
perada por las brisas interiores y exteriores del *humanismo*,
sólo entonces habría dado el espíritu castellano frutos verdaderamente universales: "desde dentro y desde fuera nos invadió el humanismo eterno y cosmopolita, y templó la mística
castellana castiza, tan razonable hasta en sus audacias..."
Fray Luis de León fué el iniciador y el símbolo de esta vía
de nuestra salvación histórica, la vía por la cual el *individuo*,
sin dejar de ser quien verdaderamente es, pero abriéndose
a todo y a todos, se enriquece como *persona*. Pero el maestro
León, un poco cobarde y, además, "oprimido por el ambiente,

vivió sin que su obra diera todo el fruto de que está pre-
ñada".

Tal vez no sea inútil recapitular sinópticamente cuanto
hasta ahora llevo expuesto sobre la interpretación unamuniana de nuestra historia. La "casta originaria" de nuestra
alta Edad Media —puramente medieval, cristiana, latina y
germánica— poseía, por virtud de su auroral indiferencia-
ción, una enorme riqueza de posibilidades históricas: vivía
en "el reino de la libertad anterior a la historia", dice don
Miguel, antihegeliano y admirador de Hegel, con palabra y
concepto directamente procedentes del filósofo tudesco. A lo
largo de la Edad Media y a favor de diversas circunstancias,
Castilla impuso un molde histórico a todos los pueblos de
España, los castellanizó. La castellanización de la indiferen-
ciada casta originaria otorgó a los españoles unidad y grandeza, pero a costa de meterles por la vía de la acción dentro
de un rígido coselete "histórico" y de hacerles perder, en
consecuencia, buena parte de su libertad "intrahistórica",
profunda. Ese coselete es el casticismo castellano de los
siglos XVI y XVII; y su símbolo en piedra, El Escorial, del
que dice Unamuno estas terribles y significativas palabras:
"el gran artefacto histórico de El Escorial, aquel hórrido pan-
teón que parece un almacén de lencería" (1).

Pero no sólo a impulsos de su casticidad histórica, ocasional, pudo lograr grandeza el español castizo de aquellos
siglos. Consiguióla también, y de orden universalmente humano, no de cuño privativo y casticista, buscando a Dios a
través del hombre que por debajo del castellano existía en
él y asimilando como tal hombre, haciéndolos suyos por
absorción personal y recreación, los vientos que desde fuera
le venían. Impelido por la coacción exterior de su mundo
castizo, buscó a Dios en sí y creó la mística española; absorbiendo y recreando como hombre los vientos exteriores, dió
ser histórico al humanismo español.

Tal sería, en esencia, la historia de nuestro siglo XVI. ¿Qué
cabía hacer en el siglo XVII? Tres posibilidades cardinales,
distintas las tres, se ofrecían entonces a los españoles. Cifrá-
base la primera en quedar dentro del caparazón castizo y en
plasmar artística y figurativamente, puesto que la acción
exterior era ya casi imposible, por la fatiga y por la ya
incipiente derrota de la empresa española, la visión del mundo propia de nuestro casticismo histórico: es lo que con

_____

(1) Sorprende vivamente este texto de Unamuno. Sorprende por dos
razones: una es la manifiesta brutalidad de su contenido, apenas sospe-
chable en don Miguel; es otra la fecha, relativamente tardía, en que
Unamuno lo escribió (1924), porque, como ya advertí y demostraré luego, con la edad se fué dulcificando algo la fuerte acritud de sus primeros juicios sobre el "casticismo castellano".

el que le sigue será un período hispano-europeo e hispano-
colonial... Pero no hemos tenido un período español puro,
en el cual nuestro espíritu, constituído ya, diese sus frutos
en su propio territorio." Pudo haberse conseguido la plena
españolidad de nuestra historia, cree Ganivet, si en el siglo XVI no hubiésemos emprendido nuestra gran aventura
europea y americana; pero nos metimos en ella, y la entrega
a la acción exterior nos impidió llegar a ser nosotros mismos:
"Si la fatalidad histórica no nos hubiese puesto en la pendiente en que nos puso, lo mismo que la fuerza nacional se
transformó en acción, hubiese podido mantenerse encerrada
en nuestro territorio, en una vida más íntima, y hacer de
nuestra nación una Grecia cristiana." De aquí que Ganivet,
como Unamuno, piense que "el tema de su tiempo" consistiría en iniciar esa íntegra y siempre malograda españolización de nuestra historia: por no haber tenido jamás un
período español puro, "la lógica de la Historia —concluye
Ganivet, con excesiva fe en esa presunta *lógica*— exige que
la tengamos y que nos esforcemos por ser nosotros los inicia-
dores". ¿No es ésta la almendra misma de las tesis unamunianas?

No quedan ahí las coincidencias. La idea unamuniana de
una "casta íntima y eterna" de España, distinta de nuestra
"casta histórica o castiza" y subyacente a ella, equivale a
la entidad virginal que Ganivet adivina o inventa en la
entraña misma de la historia de España; la "casta" de que
habla el vasco es, en fin de cuentas, lo mismo que el granadino, falto de una palabra plenamente satisfactoria, va nom-
brando con términos vagos y sinónimos: "personalidad nacional", "genio", "idea nacional", "ideal de la raza" Coinciden
asimismo en su interpretación de nuestras grandes creaciones
literarias: para uno y otro es la vicisitud de Segismundo el
símbolo de la gran gesta histórica de España, y Don Quijote la representación mística de nuestra verdadera casta:
"Nuestro Ulises es Don Quijote", dice expresamente Ganivet.
Análoga es también su tendencia a describir psicológicamente
la peculiaridad del hombre español, y no sería empresa difícil mostrar el profundo parentesco que existe entre los rasgos aislados por Ganivet, puesto ante la vida de los españoles, y los que precibió Unamuno escrutando nuestra
literatura: El "marasmo" que advierte Unamuno en la sociedad española de su tiempo no es sino la consecuencia de
la "abulia" que Ganivet diagnostica. Véase, en fin, el aire
unamuniano que tiene el juicio de Ganivet sobre nuestra
derrota del siglo XVII: "Hay que sacrificar la espontaneidad
del pensamiento propio, hay que fraguar *ideas generales* que
tengan curso en todos los países para aspirar a una influencia política durable. Nosotros, por nuestra propia constitu-

ción, somos inhábiles para estas manipulaciones, y nuestro
espíritu no ha podido triunfar más que por la violencia."
Al lado de tan esenciales concordancias, es bien accidental la
discrepancia que pueda existir entre Ganivet y Unamuno en
punto, por ejemplo, a sus personales simpatías por Séneca
o por los árabes.

Azorín, como Unamuno, ve en el marasmo de España la
última consecuencia de un nocivo aferramiento a ciertas
formas de vida propias de nuestra historia pretérita, y muy
singularmente a las más "castizas" de nuestro siglo XVII.
Difieren uno y otro, a lo sumo, por la zona de la vida española a que dedican su atención. Unamuno analiza preferentemente las consecuencias de nuestra historia castiza en
la vida política y ciudadana. También *Azorín* —recuérdense,
por ejemplo, las páginas de *La voluntad*— hace una severa
crítica de la sociedad urbana; pero se diría que, a sus ojos,
el peso de nuestra *damnosa hereditas* gravita de más directo
modo sobre la vida campesina. Va mal la vida histórica de
la ciudad española porque falta en ella "una cohesión de
creencias y de esperanzas", es decir, un ideal vivo y realmente compartido; va mal la vida cotidiana, subhistórica,
del campo español, porque en ella perdura la acción consun-
tiva de nuestro siglo XVII: "¿Cómo este pueblo rico, próspero,
fuerte en otros tiempos —se pregunta *Azorín* en una posada
de Infantes—, ha llegado en los modernos al aniquilamiento
y a la ruina? Yo lo diré. Su historia es la historia de España
entera, a través de la decadencia austríaca." Y a continuación, situado en este punto de vista interpretativo, cuenta
Azorín cómo las mil casas de que Infantes se componía en
1575 han venido a quedar en las ochocientas setenta de 1903.

Este juicio sobre la vida en el campo castellano se repite
monótonamente en muchas páginas de *Azorín*. He aquí su
contraste con el campo de Levante: "Levante es una región
que se ha desenvuelto y ha progresado por su propia vitalidad, mientras que el Centro permanece inmóvil, rutinario,
cerrado al progreso, lo mismo ahora que hace cuatro siglos..."
Levante ha cambiado de vida, y de ahí su relativo bienestar;
el Centro sigue viviendo como vivió, y de ahí su ruina. De
tales premisas mana un imperativo urgente: cambiar, cambiar el medio, para que éste vaya cambiando el modo de
vivir y, a la postre, el modo de ser del hombre español:
"todos los esfuerzos por la generación de un pueblo próspero
serán inútiles mientras estos campos no tengan agua, mientras estas tierras paniegas no sean abonadas, mientras no
desaparezca el sistema de eriazos y barbechos..."

Hasta las finísimas observaciones de *Azorín* acerca del fluir
del tiempo y del amor a la vida en los pueblos son inter-
pretadas por él como un efecto de la invariabilidad, del

reposo de esos pueblos en un modo de existir ya hecho: "En los pueblos sobran las horas, que son más largas que en ninguna otra parte, y, sin embargo, siempre es tarde. ¿Por qué? La vida se desliza monótona, lenta, siempre igual." Si es así en todos, en los anchos pueblos de la Mancha más que en los demás pueblos españoles: "el pueblo duerme en reposo denso; nadie hace nada; las tierras son apenas rasgadas por el arado celta; los huertos están abandonados... El tiempo transcurre lento en este marasmo; las inteligencias dormitan", va escribiendo *Azorín*, triste y minuciosamente, a su paso por Argamasilla de Alba. Esos pueblos inmóviles que se extienden sobre las tierras de la aventura quijotesca: "sin agua, sin árboles, con las puertas y las ventanas cerradas, ruinosos, vetustos..."

¿De dónde viene este "vivir doloroso y resignado" de nuestros pueblos? ¿Es acaso una expresión fatal, ineludible, de nuestra peculiaridad nativa? No lo cree así *Azorín*, si nos atenemos a sus propios testimonios literarios. Hubo en tiempos una España "espontánea, jovial, plástica, íntima": tal es, según *Azorín*, el mundo espiritual de nuestra literatura primitiva. En ruda oposición con ella, la literatura española del siglo XVII le es "insoportablemente antipática". ¿Qué ha pasado en España para que sea tan violento el giro de la estimación azoriniana, desde su cordial simpatía por Berceo y el Arcipreste hasta su disgusto por Rojas y Calderón?

Según *Azorín*, dos cosas: el resuelto ingreso del español en el despeñadero de la acción y la impregnación de nuestro vivir por la versión "castiza" del catolicismo. "El descubrimiento de América —piensa Antonio Azorín— acaba de realizar la obra de la Reconquista: acaba por transformar al español en hombre de acción, irreflexivo, impoético, cerrado a toda sensación de intimidad estética, propio a la declamación aparatosa, a la bambolla retumbante." La analogía entre los juicios de *Azorín* y los de Unamuno es por demás evidente.

A esta energía configuradora de la acción se juntaría la que ejerció una versión de la religiosidad católica excesivamente hosca y agresiva: "España es un país católico —afirma *Azorín*—. El catolicismo ha conformado nuestro espíritu. Es pobre nuestro suelo (yermos están los campos por falta de cultivo); el pueblo apenas come; se vive en una ansiedad perdurable; se ve en esta angustia cómo van partiendo uno a uno de la vida los seres queridos; se piensa en un mañana tan doloroso como hoy y como ayer. Y todos estos dolores, todos estos anhelos, estos suspiros, estos sollozos, estos gestos de resignación, van sembrando en los sombríos pueblos sin agua, sin árboles, sin fácil acceso, un ambiente de postración, de fatiga ingénita, de renunciamiento, heredado, a la vida fuerte, batalladora y fecunda. Así nacen y se van perpetuando en un catolicismo hosco, agresivo, intolerante, generaciones y generaciones de españoles." Otro tanto se lee en *La voluntad:* "La austeridad castellana y católica agobia a esta pobre raza paralítica... Estos pueblos tétricos y católicos no pueden producir más que hombres que hacen cada hora del día la misma cosa y mujeres vestidas de negro y que no se lavan..." "El catolicismo español, tan austero, tan simple, tan sombrío... Catolicismo trágico, practicado por una multitud austera en un pueblo tétrico...", son expresiones muy características de la primera época de *Azorín* y muy significativas respecto a la interpretación azoriniana de la historia de España.

Semejante es también a la visión unamuniana de nuestro casticismo castellano la que revelan muchas de las dispersas notas de *Azorín* en torno a la peculiaridad psicológica del español: Este "paisaje de contrastes violentos, de bruscos cambios de luz y sombra..., conforma los espíritus en modalidades rígidas y los forja con actitudes rectilíneas, austeras, inflexibles, propias a las decididas afirmaciones de la tradición o del progreso... La mentalidad, como el paisaje, es clara, rígida, uniforme, de un aspecto único, de un solo tono". Afín al quijotismo de Unamuno es el culto a Don Quijote de *Azorín*. Y unamunesca es la idea de que la actividad española castiza oscila dilemáticamente entre el anonadamiento y la exaltación: "¿No está en este pueblo —Argamasilla de Alba— compendiada la historia eterna de la tierra española? ¿No es esto la fantasía loca, irrazonada e impetuosa que rompe de pronto la inacción para caer otra vez estérilmente en el marasmo?"

En algo más se asemeja a la de Unamuno la postura de *Azorín* frente a la historia de España. Como en el caso de Unamuno, el ascenso a la madurez dulcificó notablemente los juicios de *Azorín* sobre los dos siglos de nuestra grandeza histórica y le hizo mejor y más amoroso entendedor de muchas cosas de entonces. El sentido profundo y el estilo de sus libros *Castilla, Al margen de los clásicos* y *Una hora de España* son, sin duda, prueba suficiente. Pero el tema de la actitud definitiva de *Azorín* ante España no puede ser tratado en un capítulo cuyo contenido es la amargura de su amor por ella.

Sería necio perseguir en la obra de Valle-Inclán una doctrina acerca de la historia de España. Pero si uno sabe leer con mente de historiador sus páginas recamadas, archiliterarias —para lo cual no es cosa obligada que la pasión inquisitiva mate a la recreación estética—, descubrirá la secreta concordancia que en lo tocante a la interpretación de nuestra historia existe entre Valle-Inclán y sus camaradas de gene-

ración. Celebrando el habla castellana primitiva, canta Valle-
Inclán, como *Azorín*, la vida espontánea y alegre, la dulce
claridad mañanera de la España medieval: "Era nuestro romance castellano, aun finalizado el siglo xv, claro y breve,
familiar y muy señor. Se entonaba armonioso, con gracia
cabal, en el labio del labrador, en el del clérigo y en el del
juez. La vieja sangre romana aparecía remozada en el nuevo
lenguaje de la tierra triguera y barcina. El tempero jocundo
y dionisíaco, la tradición de sementeras y de vendimias, el
grave razonar de leyes y legistas fueron los racimos de la
vid latina por aquel entonces estrujados en el ancho lagar
de Castilla." Es la hora del Arcipreste Juan Ruiz y de Berceo, la hora de nuestra tradición "campesina, jurídica y an-
trueja".

Esta tradición habría sido quebrada por la "ambición de
conquistas" y el "recuerdo de aventuras" que trajo a Castilla el matrimonio de Isabel y Fernando. "Castilla —prosigue Valle-Inclán— tuvo entonces un gesto ampuloso viendo
volar sus águilas en el mismo cielo que las águilas romanas.
Olvidó su ser y la sagrada y entrañable gesta de su naciente
habla, para vivir más en la imitación de una latinidad decadente y barroca. Desde aquel día se acabó en los libros el
castellano al modo del Arcipreste Juan Ruiz. Las Españas
eran la nueva Roma: el castellano quiso ser el nuevo latín,
y hubo cuatro siglos hasta hoy de literatura jactanciosa y
vana." En el curso de las venturas y desventuras de nuestro
idioma ve expresarse Valle-Inclán su idea de la historia de
España, una idea que, en lo sustancial, coincide con la de
sus compañeros de equipo.

Esta imagen de la historia nacional transparece, si bien
se mira, bajo toda la literatura de Valle-Inclán. El prestigio
remoto y soñado —"antiguo", diría Valle-Inclán— de una
Edad Media llena de vida y de posibilidades poéticas es,
quizá, la clave que mejor nos hace entender el mundo inventado de sus narraciones gallegas. Si uno atiende a la intención estética, y no al contenido facticio de los relatos, ¿no
son, por ventura, sendos retablos de humanidad medieval
Flor de santidad, las *Comedias bárbaras* y *Jardín umbrío*?
Toledo, ciudad castellana —"las viejas y deleznables ciudades castellanas, siempre más bellas recordadas que contem-
pladas"—, sería para Valle-Inclán el símbolo de la España
castellanizada; Compostela, "llena de una emoción ingenua
y romántica de que carece Toledo", la perpetuación en piedra de aquella alegría virginal que a los ojos de Valle tuvo
nuestra Edad Media.

En el esperpento *Los cuernos de don Friolera* repite Valle-
Inclán, más clara y crudamente, si cabe, su juicio sobre
nuestro teatro del siglo xvii. Habla "Don Estrafalario", figu-

ra que a cien leguas huele a autorretrato, y dice: "La crueldad y el dogmatismo del drama español solamente se encuentran en la palabra. La crueldad sespiriana es magnífica,
porque es ciega, con la grandeza de las fuerzas naturales.
Shakespeare es violento, pero no dogmático. La crueldad
española tiene toda la bárbara liturgia de los autos de fe.
Es fría y antipática. Nada más lejos de la furia ciega de los
elementos que Torquemada: es una furia escolástica. Si
nuestro teatro tuviese el temblor de las fiestas de toros, sería
magnífico. Si hubiese sabido transportar esa violencia estética, sería un teatro heroico como la *Ilíada*. A falta de eso,
tiene toda la antipatía de los códigos, desde la Constitución
a la Gramática." ¿No hubiera rubricado Unamuno estas opiniones de Don Estrafalario? No carece de sentido que Don
Manolito, su interlocutor, le diga una vez: "Usted no es más
que un hereje, como don Miguel de Unamuno."

Como en el esquema de Unamuno, la historia de España
ofrece a los ojos de Valle-Inclán tres períodos distintos. Uno,
claro y alegre, anterior a nuestra acción exterior. Viene a
continuación otro, en que España "olvidó su ser" y se hizo
ampulosa, jactanciosa y vana: es el que culmina en nuestro
siglo XVII. Luego nos empeñamos los españoles en ser inva-
riablemente fieles a una concepción del mundo carente de
vigencia histórica, y esto habría dado a nuestra ineficacia el
aire grotesco y trágico que tienen las figuras humanas de
El ruedo ibérico y de los esperpentos. "Desde entonces —dice
Valle-Inclán, haciendo del idioma el nervio más íntimo de
nuestra historia—, sin recibir el más leve impulso vital, sigue
nutriéndose nuestro romance castellano de viejas controversias y de jactancias soldadescas. Se sienten en sus lagu-
nas muertas las voces desesperadas de algunas conciencias
individuales, pero no se siente la voz unánime, suma de
todas y expresión de una conciencia colectiva. Ya no somos
una raza de conquistadores y de teólogos, y en el romance
alienta siempre esa ficción... Nuestra habla, en lo que más
tiene de voz y de sentimiento nacional, encarna una concepción del mundo vieja de tres siglos..." Un paso más, y los
hombres empeñados en remedar a "los héroes clásicos" serán
figuras de esperpento: "Los héroes clásicos reflejados en los
espejos cóncavos, dan el Esperpento." Ya dije que el esperpento es la deformación grotesca de una vida española empeñada en imitarse malamente a sí misma y en copiar con
torpeza a la civilización europea.

Un nuevo período debe comenzar en nuestra historia para
que España no fenezca, víctima de su descarrío. Así lo siente
Valle-Inclán en el hondón mismo de su vocación de español
y de escritor. España, olvidada de sí desde el siglo XVI, debe
volver a sí misma: "Volvamos a vivir en nosotros y a crear

para nosotros una expresión ardiente, sincera y cordial...
Desterremos para siempre aquel modo castizo, comentario
de un gesto desaparecido con las conquistas y las guerras..."
España, fiel a sí misma y creadora. ¿No es este sueño de
Valle-Inclán el sueño literario de toda la generación del 98?

Baroja siente sobre su alma el peso de la Historia: "Por
más que uno quiera ser antihistórico, antitradicionalista
—confiesa—, el peso de las cosas que fueron obra sobre la
conciencia." Pero, contra lo que después de esta confesión
pudiera creerse, no es fácil construir con sus propios textos
una imagen de la historia de España relativamente trabada.
He aquí unos cuantos juicios de Baroja que le sitúan junto
a sus compañeros de generación.

Su valoración positiva de la Edad Media —¿la sospecha-
rán en Baroja quienes desconozcan su vena romántica?— nos
la revela el gusto de Baroja por los primitivos y por el arte
gótico. "Botticelli y los prerrafaelistas —escribe— parecieron
pintores que sólo tenían un valor histórico antes de que
Rossetti, Ruskin y sus amigos pusieran a flor de tierra no
sólo su valor histórico, sino su valor real... El arte gótico
nos parece tan claro como el arte griego y, además, está mucho más cerca de nosotros."

Piensa también Baroja que la entrega de España a la
acción exterior, apenas acabado el siglo xv, la habría desviado de un destino histórico más perfecto y más acorde con
su propio ser: "España hubiera orientado su vida en un
sentido quizá parecido al de Italia a no haber interrumpido
su marcha el descubrimiento de América, que, indudablemente, la perturbó y la aniquiló." Esta perturbación impidió, por
ejemplo, que España fuese un centro de cultura en los siglos xvi y xvii. Baroja niega que lo fuera: "Los que quieren
afirmar a España como foco de cultura en el siglo xvi suelen
citar a Luis Vives, a Miguel Servet, a Loyola y a otros que
no tenían de español más que el nacimiento. ¿Se explica que
estos hombres hubiesen salido definitivamente de España si
en su país hubiesen tenido un foco intenso de cultura?"

La actitud de espíritu que revelan estas premisas y la conocida truculencia anticlerical de Baroja permiten adivinar
sin esfuerzo cuál ha sido su modo de juzgar la historia española de nuestros dos grandes siglos y las consecuencias que
de aquélla se derivaron durante los siguientes al xvii. Recuérdense, por vía de ejemplo, las estampas de Segovia,
Toledo y Yecla en *Camino de perfección*, la pintura de Cidones
en *César o nada* o la imagen de Cuenca en *La canóniga*: "El
arte ha huído de Yécora (Yecla), dejándolo... en los brazos
de una religión áspera, formalista, seca; entre las uñas de
un mundo de pequeños caciques, de leguleyos, de prestamis-
tas, de curas, de gente de vicios sórdidos y de hipocresías

miserables"; "en aquellos tipos —una tertulia de Segovia—
se comprendía la enorme decadencia de una raza que no
guardaba de su antigua energía más que gestos y ademanes,
el cascarón de la gallardía y de la fuerza". Y así tantos otros
textos.

En nuestra guerra de la Independencia y en las contien-
das civiles del siglo XIX no ve Baroja movimientos históricos
orientados por un ideal consciente y más o menos expreso,
sino la agitación viviente, genial, de un pueblo que quiere
algo y no sabe cómo definirlo. "Difícilmente se puede dar
un caso de ineptitud mayor que el de la aristocracia española y el de todas las clases pudientes en el reinado de
Carlos IV y en la invasión francesa. Sin el arranque y la
genialidad del pueblo, la época de la guerra de la Independencia habría sido de las más bochornosas de la historia de
España." Un día, en las cercanías de Hontoria, pelean los
del Brigante contra un escuadrón francés. Cuando comienzan
a vacilar los franceses, su jefe apela a un último recurso y
les hace cantar la Marsellesa: "Aquella escena, aquel canto
tan inesperado, nos sobrecogió a todos —relata Avinareta-
Baroja—. Los franceses parecían transfigurarse... Parecía
que habían encontrado una defensa, un punto de apoyo en
su himno; una defensa ideal que nosotros no teníamos." ¿No
es muy próxima a ésta la interpretación de Unamuno?

La constante agitación política y guerrera en que durante
todo nuestro siglo XIX vivió la corteza histórica del país
no habría conseguido descomponer el apoyo de la sociedad
española en las costumbres "tradicionales". He aquí cómo describe Baroja lo que Unamuno llama "persistencia de la vieja
casta": "Yo me siento un hombre cuya vida está partida
en varios períodos radicalmente distintos. El primer período...
pertenece a un mundo viejo, no sólo por ser de época lejana,
sino por ser aquella época diferente a la actual, pues se con-
servaban en ella todavía con vigor las costumbres y las ideas
tradicionales." Sólo al final del siglo XIX se acabaron de descomponer "las pragmáticas de nuestros abuelos". Fué "un
momento malo, confuso y de transición". Poco después, "el
intento de ordenar y modernizar a España fracasaba en la
Restauración borbónica"; y el fracaso de la Restauración
"culminó en 1898".

Los restos consecutivos a la descomposición de las viejas
pragmáticas y los malogrados intentos de modernización son
los componentes fundamentales de la vida histórica que Baroja descubre y contempla en su mocedad. De ahí su agria
insatisfacción y su necesidad de que se inicie una nueva
etapa en la historia de España. España debe esforzarse por
ser fiel a sí misma, puesto que es un país rigurosamente peculiar: "España, intermedio entre Europa y África, ha sido

el país dramático, exaltado, apasionado: un mundo aparte,
diferente del mundo europeo y del mundo africano." Debe
esforzarse, además, por vivir a la altura de este tiempo.
¿Cómo logrará España cumplir estas dos exigencias? La receta de Baroja dice así: cultivando a la europea las actividades más genéricamente humanas, y en primer término la
ciencia; cultivando a la española aquellas que hacen a unos
pueblos distintos de otros, y a la cabeza el arte y la moral.
"Creo que España —dice textualmente Baroja— debe aspirar a incorporar su trabajo científico al trabajo universal;
creo que debe colaborar con los pueblos de Europa en todo
lo genérico; pero que debe aspirar a diferenciarse en lo
artístico y literario de los demás países y a independizarse
en la esfera de la moral." El problema comienza precisamente
aquí, puesto que el cumplimiento de tales consignas nos
obliga a definir de antemano en qué consiste la españolidad
del arte y de la moral. Pero yo no me he propuesto en este
libro resolver las aporías planteadas por los escritores del 98,
sino mostrar la afinidad generacional que entre ellos existe. La de Baroja no me parece dudosa, luego de leer cuanto
antecede.

Y tampoco la de Antonio Machado, aunque sean tan escasos los pasos de su producción poética relativos a la historia de España. Páginas atrás le oímos proclamar su se-
cuacidad unamunesca: "Esa tu filosofía..., gran don Miguel,
es la mía"; y de Unamuno toma también su fidelidad al mito
de Don Quijote:

> El mundo en guerra y en paz España sola.
> ¡Salud, oh buen Quijano! Por si este gesto es tuyo
> yo te saludo...,

canta el poeta en los años de la primera guerra mundial.
No se acaban ahí, sin embargo, las coincidencias expresas.
La estimación meliorativa de nuestra Edad Media —la alegría, la riqueza de posibilidades históricas de la Castilla medieval— está bien patente en dos pasajes de su obra poética.
En uno llora la distancia entre la Castilla del Cid y la de
su tiempo:

> Castilla no es aquella tan generosa un día,
> cuando Myo Cid Rodrigo el de Vivar volvía...;

y en el otro declara a Berceo el primero de sus poetas:

> El primero es Gonzalo de Berceo llamado,
> Gonzalo de Berceo, poeta y peregrino...

"Luz del corazón" ve Antonio Machado salir del de Gonzalo
de Berceo cuando el auroral trovero nos cuenta sus historias
viejas.

Luego, la gloria terrible y dominadora

> *de un pueblo que ponía a Dios sobre la guerra;*

y tras la grandeza fugaz, el hundimiento agrio y melancólico
en una ineficaz imitación del propio pasado:

> *Castilla miserable, ayer dominadora,*
> *envuelta en sus andrajos, desprecia cuanto ignora.*

Nadie ha expresado tan agudamente como Antonio Machado la honda tristeza de una España que no se sabe si espera,
duerme o sueña:

> *¡Y este hoy que mira a ayer; y este mañana*
> *que nacerá tan viejo!*
> *¡Y esta esperanza vana*
> *de romper el encanto del espejo!*
> *¡Y esta agua amarga de la fuente ignota!*
> *¡Y este filtrar la gran hipocondría*
> *de España siglo a siglo y día a día!*

Y cuando el escultor Barral va cincelando en piedra rosada
el rostro del poeta, piensa éste que va surgiendo de la roca
toda la melancolía histórica de la vida española:

> *la agria melancolía*
> *de una pasada grandeza*
> *que es lo español...*

¿Para siempre? También Machado sueña que está amane-
ciendo una nueva época en la historia de España.

> *¡Qué importa un día! Está el ayer alerto*
> *al mañana, mañana al infinito,*
> *hombres de España, ni el pasado ha muerto,*
> *ni está el mañana —ni el ayer— escrito.*

Luego veremos cómo se perfila en el espíritu de Antonio
Machado la esperanza de esa España posible, el sueño de ese
mañana todavía no escrito.

Tengo la pretensión de haber demostrado que todos los
hombres de la famosa y discutida generación ven nuestra
historia y la interpretan conforme a un mismo esquema.
Todos exaltan la libre y alegre juventud de la Castilla pri-

Tal viene a ser la tesis de Unamuno y el meollo de la doble razón por la cual coinciden psicológicamente los castellanos reales de nuestro tiempo y los castellanos figurados de nuestra literatura clásica. Por ejemplo: a la rígida simplicidad psicológica del castellano real corresponde unívocamente el simplicismo de todas sus creaciones artísticas. "El simplicismo —afirma Unamuno— ha sido siempre el sello característico de las producciones espirituales de este pueblo unitario... Lo complicado, lo complejo, se le escapa; declara que no lo comprende, y, como no lo comprende, lo diputa falso, enredoso, artificial, poco sano, extravagante." Pero no he de repetir aquí cuanto ya expuse en el apartado anterior.

La visión unamunesca del español urbano contemporáneo es considerablemente más sombría. En el habitante de nuestras ciudades habrían llegado a corrupción las virtudes y a mezquina extremosidad los vicios de la casta: el dogmatismo de antaño y de siempre se ha hecho envidia; el individualismo, odio; perdura el donjuanismo e impera entre nosotros una mezquina avaricia espiritual. La respetable gravedad del español antiguo se habría convertido, con la caída de España, en la gravedad hinchada y estúpida de esos españoles que no conocen la efusión sentimental ni la jovialidad verdadera; la antigua entereza de la existencia es hoy rigidez superficial, caparazón externo —"para crustáceos espirituales, créeme, los castellanos. Le estás tratando a uno años enteros y no sabes si ha llorado alguna vez en su vida, ni por qué lloró..."—; y la incapacidad de fundir armónicamente los hechos y las ideas habría quedado en el "fulanismo" de la vida política de entonces y en esta especie de maniqueísmo político a que el español tiende.

Sea labriego o urbano, el español es siempre un hombre de pasión; y ese apasionamiento suyo, que no excluye la agudeza intelectual, le hace casi imposible la ironía: "Nosotros los españoles difícilmente podemos alcanzar la ironía griega o la francesa. Nos apasionamos en exceso, y pasión quita conocimiento." Somos hombres de pasión, hombres apasionados por la vida y por la inmortalidad real, no por la fingida inmortalidad de la fama: "eso que tanto se nos ha echado en cara, eso que ha hecho decir que somos un pueblo sombrío y que por mirar al cielo hemos desatendido lo de la tierra, eso que muchos extranjeros llaman nuestro culto a la muerte, no es tal —piensa Unamuno—, sino culto a la inmortalidad. Dudo que haya pueblo de tanta vitalidad, que tan agarrado esté a la vida. Y es por agarrarse tanto a ella por lo que no se resigna a soltarla".

La sed de vida y de inmortalidad eterna sería, quizá, una nota fundamental de nuestra "casta íntima", subyacente a todas las ocasionales figuras de todos nuestros casticismos históricos. Así parece pensarlo Unamuno: "Hay algo que nos ha preocupado siempre tanto o más que pasar el rato —fórmula que marca una posición estética—, y es ganar la eternidad, fórmula de la posición religiosa. Y es que saltamos de lo estético y lo económico a lo religioso por encima de lo lógico y lo ético; del arte a la religión." He ahí la más entrañable y prometedora peculiaridad de la casta española, he ahí el fundamento del orgullo español y del optimismo de don Miguel de Unamuno: "¿Que no tenemos espíritu científico? ¿Y qué, si tenemos algún espíritu? ¿Y se sabe si el que tenemos es o no compatible con ese otro?" Estas palabras de Unamuno nos sitúan ya ante su idea del español posible. Del español visto en la sociedad circundante y del español conjeturado en el mundo de la literatura y de la historia, pasa la esperanza de don Miguel al tema del español soñado, proyectado en el futuro. Dejémoslo aquí, para recogerlo luego.

Las precisiones descriptivas de *Azorín* se refieren preferentemente a la psicología del campesino castellano —de la Castilla Nueva, casi siempre— y al tipo humano que protagonizó nuestras glorias y nuestros sueños de antaño. Los labriegos de la llanura manchega y del itinerario quijotesco son caracterizados por el primer *Azorín* con una extraña mezcla de crueldad dolorida y de amorosa ternura: "entre estos hombres del centro, ininteligentes y tardos, y los del litoral, vivos y comprensores —juzga *Azorín*—, hay una distancia enorme"; y en "el Abuelo" de *La voluntad*, prototipo del labrador manchego, ve un hombre "sencillo como un niño, sanguinario, exasperado". Otra vez alude *Azorín* al carácter, "duro, feroz, inflexible, sin ternura, sin superior comprensión de la vida del pueblo castellano". Junto a esta precisión cruel, la ternura: "yo amo a Yecla, a este buen pueblo de labriegos... Los veo sufrir... Los veo amar, amar la tierra... Y son ingenuos y sencillos como "mujiks" rusos..., y tienen una fe enorme..., la fe de los antiguos místicos..."

Así serían todos los castellanos castizos: Larra, Palafox, Teresa de Jesús, Alba. En todos ellos vive ese "espíritu castellano, errabundo, tormentoso, desasosegado, trágico...", que *Azorín* percibe en Larra; y todos juntos constituyen "un pueblo místico, un pueblo de visionarios donde la intuición de las cosas, la visión rápida no falta; pero falta, en cambio, la coordinación reflexiva, el laboreo paciente, la voluntad". Ese espíritu —"el espíritu austero de la España clásica, de los místicos inflexibles, de los capitanes tétricos, de los pintores tormentarios; de las almas tumultuosas y desasosegadas"— es el que siente Antonio Azorín ante la llanura manchega y el que hacía preguntarse a su creador y homónimo cuando, en Gavarnie, veía con los ojos del recuerdo los viejos

pueblos de Castilla: "¿No está en estas iglesias, en estos cal-
varios, en estas ermitas, en estos conventos, en este cielo
seco, en este campo duro y raso, toda nuestra alma, todo el
espíritu intenso y enérgico de nuestra raza?"

La relación entre la peculiaridad psicológica del hombre
castellano y la del paisaje en que habita sería, a los ojos
de *Azorín*, una relación estrictamente causal: la tierra habría
configurado específicamente al hombre y a su historia. El casticismo de *Azorín* es, a la postre, mucho más un casticismo
del medio geográfico que de la casta. "Yo salgo a la calle
—escribe *Azorín* en Argamasilla de Alba—; las estrellas par-
padean en lo alto misteriosas; se oye el aullido largo de un
perro; un mozo canta una canción que semeja un alarido y
una súplica... Decidme, ¿no es éste el medio en que florecen
las voluntades solitarias, libres, llenas de ideal —como la
de Alonso Quijano el Bueno—; pero ensimismadas, soñado-
ras, incapaces, en definitiva, de concentrarse en los prosaicos,
vulgares, pacientes pactos que la marcha de los pueblos
exige?" La tristeza natural de la tierra de Castilla habría
determinado la tristeza de sus hombres y de sus creaciones
artísticas: "Se habla de la alegría española —comenta *Azorín*—, y nada hay más desolador y melancólico que esta
española tierra. Es triste el paisaje y es triste el arte."

Todos estos caracteres que el paisaje ha impreso en la
casta castellana se irían transmitiendo de una generación a
otra, fijos como la tierra misma y apoyados, por tradición y
por instinto, sobre la resignación que otorga al hombre su
creencia en una vida mejor allende la muerte: "El labriego,
el artesano, el pequeño propietario, que pierden sus cosechas
o las perciben escasas tras largas penalidades, que viven en
casas pobres y visten astrosamente, sienten sus espíritus do-
loridos y se entregan —por instinto, por herencia— a estos
consuelos de la resignación, de los rezos, de los sollozos, de
las novenas, que durante todo el mes, durante todo el año
se suceden en las iglesias sombrías, mientras las campanas
tañen abrumadoras."

La solución que propone *Azorín* tiene un nombre: voluntad. Una voluntad capaz de modificar con artificio humano
el rostro del paisaje y, a la larga, la psicología del hombre
que de él y sobre él vive: "habría que decirles (a esos labriegos y artesanos) que la vida no es resignación, no es tristeza, no es dolor, sino que es goce fuerte y fecundo; goce
espontáneo de la naturaleza, del arte, del agua, de los árboles, del cielo azul, de las casas limpias, de los trajes elegan-
tes, de los muebles cómodos... Y para demostrárselo habría
que darles todas estas cosas". Como se ve, también en el
espíritu de *Azorín* existe el sueño del español posible, al
término de sus precisiones sobre el español presente y de

sus conjeturas sobre el español pretérito. Luego intentaré mostrar los rasgos de ese ensueño.

Dos componentes tendría la casta de España, según el casticismo de Ganivet: es uno el "espíritu primitivo" de la raza, nativo en ella y anterior al senequismo; es el otro el "espíritu territorial", adquirido tan pronto como los españoles unidos advirtieron que habitaban una península. "Séneca no tuvo que inventarlo —dice Ganivet, aludiendo al espíritu primitivo—, porque se lo encontró inventado ya; sólo tuvo que recogerlo y darle forma perenne... El espíritu español, tosco, informe, al desnudo, no cubre su desnudez primitiva con artificiosa vestimenta; se cubre con la hoja de parra del senequismo, y este traje sumario queda adherido para siempre y se muestra en cuanto se ahonda un poco en la superficie o corteza ideal de nuestra nación." Sobre esta casta senequista y senequizada, cristianizada más tarde, habría ejercido su definitiva acción configuradora la condición peninsular del territorio español: "La evolución ideal de España —sentencia Ganivet— se explica sólo cuando se contrastan todos los hechos exteriores de su historia con el espíritu permanente, invariable, que el territorio crea, infunde, mantiene en nosotros."

Cuatro son, en consecuencia, los ingredientes que componen la compleja historia de España, según la concepción de Ángel Ganivet:

1. El *hombre español*, cuya peculiaridad psicológica más propia habría sido constituída por la acción del "espíritu territorial" sobre el senequismo presenequista de nuestro "espíritu primitivo".

2. Los *hechos exteriores* de la historia de España, ajenos y aun contrarios muchas veces a la mencionada peculiaridad psicológica del hombre español, y determinados por una terca, misteriosa adversidad del destino contra la índole y la conveniencia de nuestro propio espíritu. En el apartado precedente he descrito en esquema, según la visión ganivetiana, el curso de estos "hechos exteriores".

3. La *evolución ideal*, línea de intersección, meramente conjeturable, entre la superficie de los hechos exteriores de nuestra historia y las verdaderas tendencias operativas de nuestra "constitución ideal". Los hechos exteriores dibujan el curso visible de lo que España "fué"; la evolución ideal es el curso hipotético de lo que "pudo ser", si los españoles hubiesen sido fieles a su propio espíritu.

4. Las *creaciones artísticas e intelectuales* del espíritu español. En muchas de ellas habrían expresado los españoles, por la vía de una figuración evasiva, utópica, esa contrariedad entre su destino histórico visible y la apetencia íntima de su propio espíritu. Así entiende Ganivet, por ejemplo, la

significación española de Segismundo y de Don Quijote. El mundo de nuestras creaciones espirituales sería la mejor clave para conjeturar lo que Ganivet ha llamado nuestra "evolución ideal".

Esta visión de nuestra historia pone a Ganivet ante el empeño de aislar y describir las notas psicológicas que definen la auténtica intimidad del espíritu español; no las que pueden inducirse examinando los "hechos exteriores" de su historia, sino las que laten bajo las acciones de nuestra vida cotidiana y popular. La distinción unamuniana entre "casta histórica" y "casta íntima" es por entero equiparable a esta que propone Ganivet entre los "hechos exteriores" y las "tendencias auténticas".

Buena parte del *Idearium español* ha sido consagrada a este empeño de caracterización psicológica. Cualquiera que sea la actitud intelectual del lector ante esta cuestión de los caracteres nacionales —la mía, dicho sea en inciso, no es muy casticista—, siempre habrá que contar entre las páginas más sugestivas del *Idearium* aquellas en que su autor describe la manera del conquistador español o la actitud española ante el crédito; cuando equipara el prestamista al guerrillero y cuando enlaza nuestro sentimiento de la propiedad individual con nuestro modo de amar a las cosas; o las que emplea en mostrar cómo vive la ley el español —nuestro dualismo entre una aspiración a la justicia pura y una piedad excesiva ante el caído— y cómo nos conducimos en tierra extraña; o, en fin, las que dedica al espíritu guerrero de los españoles. También Ganivet insiste en nuestra tendencia a pasar directamente desde la percepción realista de los hechos hasta su consideración artística o religiosa, saltando sobre el modo científico de contemplarlos: "no es que no haya hombres de ciencia —dice Ganivet—; los ha habido y los hay; pero cuando no son de inteligencia mediocre, se sienten arrastrados hacia las alturas donde la ciencia se desnaturaliza, combinándose, ya con la religión, ya con el arte... Nuestro espíritu es religioso y es artístico, y la religión muchas veces se confunde con el arte".

Si quisiéramos reducir a expresión apretada y sinóptica el conjunto de las observaciones de Ganivet acerca del hombre español como sujeto psicológico, tal vez podríamos llegar a tres proposiciones distintas. *Primera:* el español tiende al contacto inmediato con hombres y cosas. En consecuencia, huye de los modos de relación "por fórmulas" y apenas los comprende. Tal sería el denominador común de su tendencia a "pelear siempre muy cerca del enemigo", de la estimación popular española del crédito y de la propiedad, de la escasez de ciencia natural especulativa en la historia de nuestro pensamiento, de la pobreza de nuestra técnica, de la vivencia española de la ley y la justicia, etc. *Segunda:* el español, por obra de nuestro nativo temple, no ha olvidado jamás, así en la expresión culta como en la costumbre, la dignidad que hay en ser hombre: "Mantente de tal modo firme y erguido que al menos se pueda decir siempre de ti que eres un hombre"; tal sería la raíz del senequismo. "Esto es español...", apostilla Ganivet. *Tercera:* el español tiende a moverse en dos campos extremos, el de los hechos reales, sensorialmente perceptibles (realismo español, polo activo de nuestra operación), y aquél en que esos hechos cobran último sentido (mundo del arte y de la religión, misticismo español, polo contemplativo de nuestra operación).

Sobre la singularidad psicológica que Ganivet atribuye al hombre español descansa su optimismo, tan evidente en las últimas páginas del *Idearium*. Ganivet confía en el porvenir, porque el español, después de tantas vicisitudes históricas, todavía no ha podido dar al mundo sus frutos más idóneos. De nuevo —como en Unamuno, como en *Azorín*—, el tema del español posible y soñado surge como un destello de esperanza tras el tema del español presente y pretérito.

No son infrecuentes en la obra de Baroja las alusiones a la singularidad psicológica y ética del español. Antes expuse su idea de España como "un país dramático, exaltado, apasionado, un mundo aparte". ¿De qué puede depender esta peculiaridad de España, sino de la peculiaridad psicológica de los españoles? El problema está, por tanto, en precisar con certidumbre de dónde proviene y en qué consiste la índole propia del hombre español.

Si *Azorín* y Ganivet subrayan la acción configuradora del medio —aquél, esteta, en tanto ese medio es paisaje; éste, diplomático, en tanto es geografía—, Baroja acentúa la importancia primaria de la raza. No es exagerado afirmar en redondo que Baroja es racista. El tema de la raza, entendida en sentido crasamente biológico, aparece un número incontable de veces en las páginas de Baroja; irónicamente, como un *divertimento* de humorista, en *La caverna del humorismo* y en *El laberinto de las sirenas;* entre bromas y veras en *César o nada* y en las consideraciones sobre su propia genealogía de *Juventud y egolatría,* y los dos volúmenes de sus *Memorias;* con toda seriedad en su antisemitismo declarado y en su tenaz germanofilia de 1914. Los términos de esa ciencia mal llamada Antropología —Antropozoología sería más exacto— son archifrecuentes en las descripciones barojianas: "era braquicéfalo, dolicocéfalo, platirrino", dice a menudo. "El hombre es el producto de la raza, de su temperamento, de su cultura y de la familia en que ha vivido", léese en sus *Memorias;* "la fuente de la acción está... en la vitalidad que hemos heredado de nuestros padres", sostiene en *Juventud y egolatría*. Del "genio de la raza" habla expresamente en *César o nada*.

Helmut Demuth ha resumido en su estudio sobre el pensamiento de Baroja las ideas de éste sobre la raza: "Baroja no ve en la raza... un mero hecho físico. No es que deserte de este punto de vista; le presta, por el contrario, gran atención. Sus figuras son vistas a menudo con ojos de investigador; así, no se olvida casi nunca hacer mención de la forma del cráneo. Pero no da más que una importancia accidental a esos elementos, como para aclarar o apoyar, sin reconocerles un valor decisivo. La significación capital de la raza la ve Baroja en su condición de unidad anímica y espiritual, que determina el carácter de cada uno. Distingue Baroja dos capas del alma: la razón y el instinto; lo irracional y todo lo que de él nace, está sujeto a la raza, y es, por tanto, distinto (en cada una de ellas)."

A pesar de lo dicho, no cree Baroja que la investigación *científica* de nuestra peculiaridad racial pueda resolver el problema del tipo psicológico español: "No sabemos qué es lo permanente en España y si desde un punto de vista espiritual hay una o varias Españas, uno o varios tipos de españoles... La antropología dice muy poco, por ahora: señala en la Península una gran variedad étnica; pero una variedad de tipos tan próximos, que no se puede deducir de ella consecuencia alguna. Se necesitará mucho tiempo para que la ciencia de las razas... pueda obtener conclusiones, y es posible que cuando las obtenga no aclaren nada en la práctica; tal será con el tiempo la mezcla étnica de todos los pueblos."

Pero allí donde no alcanza la conclusión del hombre de ciencia puede llegar la intuición del artista. Artista es Baroja; y en cuanto lo es, no vacila en dar expresión literaria a sus intuiciones sobre la peculiaridad psicológica del español.

Pertenecería al "genio de la raza", muy en primer término, nuestro individualismo: "En España, donde el individuo y sólo el individuo fué todo...", dice Baroja en el prólogo de *César o nada*; por eso los españoles sólo eruptivamente hemos podido hacer algo en la vida y en el arte, "a medida que han ido brotando hombres de brío y de acción". A ese individualismo nativo se unen el apasionamiento, la exaltación, la dramática extremosidad; y todo junto daría a los españoles de raza su carácter incalculable, su radical incompatibilidad con el orden racional: "El español es un ser absurdo", dice un personaje de *Mala hierba*. Tendría el español, además, por la conjunción de su "gran sentido vital" y de su escasa cultura, la simplicidad del niño y una tendencia infantil a deformar súbjetivamente la real objetividad de las cosas: "El español, como el niño —dice Baroja en su artículo *El español no se entera* y repite en *Juventud y egolatría* —, tiene una imagen anterior a la experiencia inmediata, a la que somete sus percepciones." Un niño ve con facilidad un hombre o un caballo o un monigote; "al español —prosigue Baroja— le pasa lo mismo. Éste es uno de los motivos de incomprensión. El hombre rechaza lo que no cuadra con el esquema interior que tiene de las cosas... El español, como el niño, si quiere ser algo tiene que ampliar su imagen retiniana; ampliarla y quizá también complicarla".

Así son los españoles que pueblan las páginas de Baroja. Sus vidas son estelas lineales, imprevisibles y limpiamente individualizadas, como la trayectoria vital de un infusorio. Les vemos agitarse en un punto, oímos sus palabras; y a continuación, incapaces de reposo, inhábiles para la quiescencia contemplativa y meditabunda, lanzan su existencia hacia una aventura incalculable e inédita. No les mueve el destino, ni orienta a su espontaneidad una providencia misteriosa, un hado sobrehumano o un carácter hecho, sino la inquieta e inquietante vitalidad que bulle en el fondo mismo de su ser. Son, en suma, antes espontáneos que libres. Suave, elásticamente espontáneos, cuando tienen sus vidas un quehacer, así Zalacaín y Aviraneta; indecisa y atormentadamente espontáneos cuando se ven obligados a preguntarse a cada paso, como el Fernando Ossorio de *Camino de perfección* y el Luis Murguía de *La sensualidad pervertida:* "¿Qué va a hacer uno?" Así se muestran los españoles en las novelas de Baroja. Y esta condición filiforme, saltona e incalculable de las existencias individuales que las componen, condiciona su peculiar estructura. Hay novelas, como *Madame Bovary,* cuyo modelo es el retablo; hay otras cuyo patrón es la trama, la sucesiva urdimbre de los hilos individuales que las componen. Así son —tramas, urdimbres, madejas sucesivas sin comienzo ni fin— las mejores novelas de Baroja. No las preside la estética, sino el impulso; no la idea, sino la acción; no es su modelo el edificio, sino el viaje.

La historia, "la condenada historia", como decía Unamuno, habría dado una figura grotesca o repulsiva a las notas por las que se singulariza racialmente el hombre español. El individualismo se ha hecho "fulanismo" y compadreo: "en España... todo se consigue aún por acción personal", apunta Baroja; y en ese *aún* van implícitos el sentido de su estimación y la orientación de su esperanza. El vigor expresivo y configurador de la propia subjetividad, tan eficaz antaño y fuente del énfasis antiguo, ha quedado en retórica y oratoria: "No es raro —dice Baroja de sí mismo— que haya sido abominador de la oratoria y de la retórica en un pueblo como el español, sobresaturado de retórica y oratoria, que no le permiten ver la realidad. Tomar las frases retóricas como

hechos es condición muy meridional. Hay español a quien
no molesta que le digan en el extranjero que su patria ha
sido cruel e inhumana, que no le sorprende que afirmen que
no produce cultura científica y filosófica, y que se satisface
al leer en un discurso diplomático que llaman a España noble nación." La mezquindad de su vivir habría degradado,
en fin, la condición de estos españoles incalculables y absur-
dos: "gentuza innoble y miserable, sólo capaz de fechorías
cobardes...; las caras terrosas, las miradas de través, hoscas
y pérfidas...", léese en *Camino de perfección*, cuando Baroja
describe a los campesinos de Castilla.

Pero la amargura de Baroja no es desesperación. También
él espera el advenimiento de un día "en que el tipo del
español, hoy oscuro para nosotros, llegue a aclararse, a de-
cantarse y a verse en él de una manera precisa sus aptitudes". Bajo los rasgos del español real, potencialmente contenida en su entraña misma, adivina el ensueño de Baroja
la imagen de un español deseado y posible.

Antonio Machado dedica un poema, el titulado *Por tierras
de España*, a dibujar un retrato físico y moral del campesino
soriano:

> *Pequeño, ágil, sufrido, los ojos de hombre astuto,*
> *hundidos, recelosos, movibles; y trazadas*
> *cual arco de ballesta en el semblante enjuto*
> *de pómulos salientes, las cejas muy pobladas.*

A esta apariencia física corresponde un conjunto de condiciones éticas rigurosamente detestables: "un alma fea—esclava de los siete pecados capitales"; la envidia y la tristeza;
la fiereza sanguinaria. No, no sale bien parado en este retrato el labriego de nuestras tierras altas. Éste es el hombre
íbero; el que

> *igual que el ballestero*
> *tahur de la cantiga,*
> *tuviera una saeta...*
> *para el Señor que apedreó la espiga*
> *y malogró los frutos otoñales.*

¿Quedará aquí la idea de Antonio Machado acerca del
hombre íbero? No, no puede quedar. En su alma no se ha
perdido la esperanza. Él, como todos sus camaradas de generación, quiere, necesita aguardar la llegada del español
posible:

> *Mi corazón aguarda*
> *al hombre íbero de la recia mano,*
> *que tallará en el roble castellano*
> *el Dios adusto de la tierra parda.*

También Valle-Inclán describe con dolor y esperanza a los hombres de su patria. Dolor, un orgullo doloroso de español venido a menos hay en su descripción de esos españoles que le permiten llamar "bárbaras" a sus narraciones noveladas; esos españoles altivos, despóticos, apasionados y crueles, lujo desgarrado e inútil de un país vencido. Dolor, un dolor acedo hay igualmente en el alma de un escritor que se siente obligado a inventar el esperpento como retrato de españoles.

Tras ese dolor orgulloso y este dolor asqueado late la esperanza de Valle-Inclán. Vieja es la estirpe española; pero "cuanto más lejana es la ascendencia, hay más espacio ganado al porvenir", dice en *La lámpara maravillosa*. Por eso espera un grande e ignoto futuro. "Al final de la Edad Media, bajo el arco triunfal del Renacimiento, estaba la sombra de Platón meditando ante el mar azul poblado de sirenas. ¿Qué sombra espera bajo los arcos del sol al fin de Nuestra Edad?"

No sé lo que creerán los demás; yo creo haber demostrado con pruebas fehacientes que existe unidad de estilo en el amor a España —amargo, como dije— de todos los escritores de la generación. Salvadas las forzosas diferencias personales, esa unidad de estilo se advierte en los tres momentos fundamentales de su análisis censorio: la versión española de la vida moderna, la singularidad de nuestra historia pretérita y la índole propia del hombre español. Es hora ya de indagar si la semejanza entre ellos se extiende también a los componentes positivos de su actitud.

CAPÍTULO VI

"HISTORIA SINE HISTORIA"

¿Sienten la Historia —quiero decir: interés y gusto por el pasado— los escritores del 98? Si la respuesta es afirmativa, ¿cómo sienten la Historia, cómo la entienden? Y, por fin, la pregunta inevitable: ¿Hay alguna semejanza, algún estilo común en sus individuales modos de sentirla y entenderla?

Azorín, alférez y portavoz de la generación, ha estampado en su libro *Madrid* una afirmación rotunda, inequívoca: "... el tiempo en concreto, es decir, la Historia, me ha servido de trampolín para saltar al tiempo abstracto. La generación de 1898 es una generación historicista". No creo que deba entenderse el adjetivo "historicista" según el sentido que podríamos llamar "técnico" del vocablo: historicismo como doctrina filosófica del acontecer histórico. Más senci-

toria, como su sedimento, como la *revelación de lo intra-histórico de lo inconciente en la Historia.*" Nótese cómo Unamuno invierte una tesis muy central en la antropología del cosmopolitismo racionalista. Para el racionalismo, la razón es lo más genéricamente humano, lo que más asemeja unos hombres a otros, y lo irracional lo que les individualiza y distingue; para Unamuno, lo más genéricamente humano del hombre es el componente intrahistórico de su vida, lo no consciente de ella. Es por obra de la intrahistoria, en efecto, por lo que, según Unamuno, se comunica el hombre con la "humanidad eterna". La Historia le hace a uno ser español o francés, escolástico o cartesiano, republicano o integrista; la intrahistoria, lo que en cada hombre hay de intrahistórico, es lo que le permite decirse a sí mismo, sencilla y solemnemente, "hombre". No creo que sea violento establecer una relación inmediata entre la "intrahistoria" de Unamuno y la tesis del "inconsciente sobrepersonal o colectivo" de Jung.

El tercer momento que condiciona la disociación unamuniana entre el ámbito de los sucesos históricos y el de los hechos intrahistóricos es, sin duda, el prestigio del "hecho" —como concepto y como mera palabra— en la mente de todos los hombres posteriores al positivismo, aunque sean rudamente antipositivistas. Confiesa Unamuno haber sido en su mocedad "algo así como un spenceriano". Es muy propio de todos los hombres de su época —Nietzsche, Bergson, tal vez el mismo Dilthey— haber atravesado una etapa juvenil de cientificismo más o menos matemático o biológico. Pues bien, de ese período "spenceriano" debió quedar en el alma de Unamuno la veneración mítica por el "hecho" social y el desprecio por el "suceso" histórico. No había advertido Unamuno lo que después hemos visto con toda claridad: que los "hechos intrahistóricos" son también, indudablemente, "sucesos".

El cuarto momento determinante del distingo unamuniano entre historia e intrahistoria depende de la situación histórica de Unamuno, en tanto español, y de su modo de vivirla. Esa situación y este modo fueron compartidos por todos los miembros de la generación, que no por otra cosa llamamos así al grupo que forman. Conviene, pues, dejar pendiente el remate de estas consideraciones hasta que hayan desfilado ante nuestros ojos las actitudes de todos ellos.

La historia y la intrahistoria se hallarían, según Unamuno, en constante trasiego, en ósmosis continua. Profesaba Unamuno, antes lo he dicho, un irracionalismo espiritualista o un espiritualismo irracional, como se quiera, al que trataba de dar expresión mediante palabras definitorias o conceptos y palabras sugestivas o metáforas. Su alma de poeta y la actitud de su época frente al problema planteado por esa expresión —actitud primeriza, de descubridor: asombro, impresión de misterio, intuiciones adivinatorias— le inclinaban hacia el camino de la metáfora. Lo cual suscita una curiosa pregunta: ¿Qué metáforas usó Unamuno para expresar el oscuro contenido de su pensamiento?

Creo que la respuesta debe tener en este caso una estructura biográfica. En la primera etapa de su producción intelectual y literaria —*Paz en la guerra,* sus primeros ensayos— Unamuno, influído por el biologismo spenceriano de que él nos habla, usó de preferencia metáforas biológicas; en otra etapa ulterior —obra poética, *El sentimiento trágico, La agonía del cristianismo*— fué empleando con frecuencia creciente metáforas extraídas de la vida personal: el ensueño, el canto, el quijotismo como método, etc. Pues bien, a estos dos recursos metafóricos apela Unamuno para poner de manifiesto la relación de flujo y reflujo que existe entre la historia y la intrahistoria.

"Por las causas —escribe Unamuno— se va a la sustancia. Sin el paleontológico hiperión no veríamos tan clara la comunidad de la pezuña del caballo y el ala del águila. Y así como la paleontología, capítulo de la historia natural, se subordina a la biología, así la historia del pasado humano, capítulo de la del presente, se ha de subordinar a la ciencia de la sociedad, ciencia en embrión aún, y parte también de la biología." A lomos de este patente biologismo va mostrando Unamuno la emergencia de lo intrahistórico en forma de historia y la conversión de los sucesos en hechos de la intrahistoria. "La Historia —dice una vez— brota de la no Historia, como las olas son olas del mar quieto y sereno"; las acciones intrahistóricas son equiparables a las madréporas suboceánicas, porque desde el fondo del mar de la Humanidad construyen los islotes de la historia visible. El progreso no es serie lineal de oscilaciones ascendentes, sino sucesión de germinaciones e inflorescencias: "es una serie de expansiones y concentraciones cualitativas, es un enriquecerse el ambiente social en complejidad para condensarse luego esa complejidad organizándose, descendiendo a las honduras eternas de la Humanidad y facilitando así un nuevo progreso; es un sucederse de semillas y árboles, cada semilla mejor que la precedente, más rico cada árbol que el que le precedió". Poco antes ha escrito: "Semillas somos los hombres del árbol de la Humanidad."

Las metáforas biológicas le sirven a Unamuno para dar cuenta expresa de un hecho: que la historia brota a veces de la intrahistoria y que en ésta perduran los sucesos una vez pasada su fugaz actualidad. Compónese el presente, según Unamuno, de dos estratos distintos: uno superficial y huidizo, el "presente *histórico*", constituido por lo que en cada instante "está pasando", y otro profundo y permanente, el "presente *intrahistórico*", fundamento del anterior y resultado de la sedimentación, de la *eternización* de todos los presentes históricos ya pasados. Los hombres y los pueblos estarían siempre en una suerte de perfección maturativa, en cuanto van haciendo su historia pasajera y cortical sobre un légamo de intrahistoria o humanidad permanente cada vez más denso y rico. La historia se convierte así en tradición eterna; con lo cual va constituyendo "el fondo del ser del hombre mismo" y haciendo que los pueblos sean cada día más auténticos y más humanos a la vez. "En el alma de España viven y obran, además de nuestras almas, las de los que hoy vivimos, y aun más que éstas, las almas de todos nuestros antepasados. Nuestras propias almas, las de los que hoy vivimos, son las que menos viven en ella, porque nuestra alma no entra en la de nuestra patria hasta que nosotros no la hayamos soltado, hasta después de nuestra muerte temporal." En el suelo del presente estaría precipitado, como permanente "sustancia humana", el pasado entero, y sólo sabiendo ver en cada instante ese fondo subhistórico logra el hombre descubrir el sentido de lo que antes pasó y entonces pasa: "hay que buscar la tradición eterna en el presente...; la historia del pasado sólo sirve en cuanto nos lleva a la revelación del presente", Y esa tradición eterna o intrahistórica, proyectándose hacia el porvenir, se trueca en "el ideal", "que no es otra cosa que ella misma reflejada en el futuro". Por todo lo cual, pueden ser y son "los mejores libros de historia aquellos en que vive lo presente...: cuando se dice de un historiador que resucita siglos muertos, es porque les pone su alma, les anima con un soplo de intrahistoria eterna que recibe del presente". La intrahistoria emerge en la historia y da sentido humano a lo que de histórico hay en cada presente; la historia pasa y se eterniza, haciéndose intrahistoria o tradición eterna. Tal es la medula del pensamiento de Unamuno sobre el acontecer humano.

No se conforma Unamuno, sin embargo, con dar vida a este pensamiento y vestirle luego de metáforas biológicas. Sucesivamente, aunque siempre de pasada, irá zahondando en su meollo metafísico —la relación entre el tiempo y la eternidad— y en su raíz teológica; sucesivamente también, irá sustituyendo las antiguas imágenes biológicas por metáforas pertinentes a la vida personal.

Tanto los conceptos de historia e intrahistoria como la idea unamuniana de la relación existente entre una y otra, asientan sobre una intuición filosófica muy cara al espíritu de don Miguel. Según él, "el tiempo es la forma de la eternidad": la eternidad se iría *expresando* en figura de tiempo; más aún, se iría *constituyendo* con el curso sucesivo de éste. "Así como la tradición es la sustancia de la Historia, la eternidad lo es del tiempo —dice unas páginas antes—; la Historia es la forma de la tradición como el tiempo la de la eternidad." El hombre es simultáneamente histórico o temporal y eterno. Esa eternidad suya es el verdadero principio de la Historia y adquiriría contenido absorbiendo en su seno cuanto merece ser permanente en la vida sucesiva de todos los hombres y de cada hombre. La Historia es, en consecuencia, forma de la eternidad y pábulo suyo; la huella permanente de las acciones personales de cada hombre constituye la sustancia de la tradición humana y va dando "contenido" a lo que después de su muerte será su vida eterna.

Planteado así el problema del tiempo histórico, ya no es suficiente para expresarlo la capacidad sugestiva de las metáforas biológicas. Creo que el sentimiento de tal insuficiencia debió hacerlas aparecer excesivamente toscas y vulgares a los ojos de Unamuno. Lo cierto es que desde los primeros años de este siglo comienza a expresar la sucesividad temporal del hombre merced a dos conceptos estrictamente propios de la vida personal: el recuerdo y la esperanza: "La realidad —escribe en su ensayo *Viejos y jóvenes*— no es más que un esfuerzo del recuerdo por hacerse esperanza o un esfuerzo de la esperanza por convertirse en recuerdo." Más tarde repetirá el mismo pensamiento en su obra cimera: "Se vive en el recuerdo y por el recuerdo, y nuestra vida espiritual no es, en el fondo, sino el esfuerzo de nuestro recuerdo por perseverar, por hacerse esperanza, el esfuerzo de nuestro pasado por hacerse porvenir." Debajo de estas palabras están las de San Juan de la Cruz sobre la relación ontológica y mística entre el recuerdo y la esperanza; y mucho más atrás, las maravillosas reflexiones de San Agustín sobre la memoria en el libro X de sus *Confesiones*.

Mediante su idea del recuerdo y la esperanza entiende ahora Unamuno la relación entre la historia y la intrahistoria. La historia es la corteza pasajera de la vida humana, y su destino es pasar, ser olvidada. Olvidada, sí, mas no aniquilada, no reducida a la nada. De ella perdura un sutil poso de eternidad viva: "lo olvidado no muere, sino que baja al mar silencioso del alma, a lo eterno de ésta", nos ha dicho Unamuno. La huella de todos los olvidos, transmutada ya en habitud entitativa y operativa del hombre, como diría un escolástico, va constituyendo el recuerdo intrahistórico de lo que pasó. Al propio tiempo, va dando sustancia a la esperanza; porque "el ideal", esto es, la formulación de la esperanza del hombre, es para Unamuno —antes lo vimos— una proyección de la tradición eterna en el futuro incierto. Lo que el recuerdo, el olvido y la esperanza son para el hombre individual, eso son la intrahistoria y el ideal para la vida comunal de todos los hombres. Y para cada hombre, en tanto partícipe singular de la comunidad humana: "La Historia... —ha escrito Unamuno— no halla su perfección y efectividad plena sino en el individuo; el fin de la Historia y de la Humanidad somos los sendos hombres, cada hombre, cada individuo: *Homo sum, ergo cogito; cogito ut sim Michael de Unamuno.*"

Estas ideas ¿podían pasar por el espíritu de Unamuno sin despertar en él alguna resonancia religiosa y teológica? El Unamuno agonizante por su vida eterna, el cristiano a su manera, el lector incansable de místicos y teólogos tenía necesariamente que esforzarse por dar un sentido religioso, cristiano, a sus intuiciones sobre la historicidad y la eternidad del hombre. El sentido próximo de la historia es convertirse día a día en intrahistoria o tradición eterna; su sentido remoto, último, es ser recapitulada en Cristo al final de los tiempos. La doctrina paulina de la *apocatástasis* o reconstitución en Dios y la *anacefaleosis* o recapitulación de todas las criaturas en Cristo es el fundamento teológico sobre que reposa la construcción historiológica de Unamuno. Sólo la fe, una fe viva en la anacefaleosis, puede consolar al hombre de saber que sus acciones pasan. ¿No es un consuelo efectivo para el creyente, y aun el más alto y definitivo consuelo, saber que con su pasar está "enriqueciendo a Cristo"? "Si llegáramos a ver claro esa anacefaleosis —dice Unamuno—; si llegáramos a comprender y a sentir 'que vamos a enriquecer a Cristo, ¿vacilaríamos un momento en entregarnos del todo a Él? El arroyico que entra en el mar y siente en la dulzura de sus aguas el amargor de la sal oceánica, ¿retrocedería hacia su fuente? ¿Querría volver a la nube que nació del mar? ¿No es su gozo sentirse absorbido?" Y, tras un segundo de calma, el alma agónica de Unamuno vuelve a debatirse en el misterio de cómo perdurará su propia vida individual cuando sea recapitulada en Cristo.

Las páginas anteriores exponen con algún orden sistemático las dispersas ideas de Unamuno en torno al problema de la Historia. ¿Encontraremos en la obra de cada uno de los escritores del 98, inventada por su personal minerva, una doctrina historiológica semejante a la compleja y relativamente acabada doctrina de Unamuno? Sería necio esperarlo. Sus camaradas de generación, si se exceptúa a Ganivet, son artistas de la literatura, no pensadores de oficio. En algo se han de parecer a él, empero, si es cierto que constituyen una verdadera "generación" y si las generaciones son sucesos condicionados por el modo de vivir el propio acontecer histórico. Veámoslo en sus propios textos.

Azorín, esteta, reduce a materia estética la distinción de Unamuno entre historia e intrahistoria. No es preciso ser un lince para advertir que los "grandes hechos" y los "menudos hechos" de *Azorín* son por entero equiparables a los "sucesos" y a los "hechos" de Unamuno. "Se historia los primeros —dice *Azorín*—. Se desdeña los segundos. Y los segundos forman la sutil trama de la vida cotidiana." Esa "sutil trama de la vida cotidiana" es casi lo mismo que Unamuno ha llamado intrahistoria. Bien tempranamente había escrito *Azorín*: "No busquéis el espíritu de la Historia y de la raza en los monumentos y en los libros: buscadlo aquí: entrad en estos obradores; oíd las palabras toscas y sencillas de estos hombres; ved cómo forjan el hierro o cómo arcan las lanas, o cómo labran la madera, o cómo adoban las pieles. Un mundo desconocido de pequeños hechos, relaciones y tráfagos, aparecerá ante vuestra vista, y por un momento os habréis puesto en contacto con las células vivas y palpitantes que crean y sustentan las naciones." ¿No son las líneas anteriores una visión en estilo azoriniano del pensamiento que antes hemos visto expresar a Unamuno?

Azorín cree vivamente en su modo de entender la historiografía. Más aún; está orgulloso de su propio acierto y tiene la evidencia de ser rigurosamente original. "¿Cuántos son —pregunta una vez— los que ven la España, toda la España del siglo XVII, no en los reyes y en los bufones, sino en este pequeño cuadro de Velázquez que representa una vista de Aranjuez, y en que un caballero se inclina ligeramente ante una dama, con una gracia, con una dignidad, con una elegancia insuperables, para ofrecerle una flor?" Un gesto, un "pequeño hecho" —un "hecho intrahistórico", diría Unamuno— manifestaría la vida de toda una época y de todo un pueblo mucho más honda y reveladoramente que las pinturas y relatos de reyes y batallas. *Azorín*, como Unamuno, pero por la vía de la estética, va a buscar en el fondo intrahistórico el sentido verdadero y humano de un "presente histórico" pasado. Por eso puede hacerse primoroso lo vulgar en la obra de *Azorín*, y no otro es, en mi entender, el fundamento más firme del lindo epígrafe de Ortega y Gasset —"Primores de lo vulgar"— a su comentario sobre el gran escritor.

He dicho antes que *Azorín* utiliza estéticamente su distinción historiográfica entre los grandes hechos y los pequeños hechos. De dos modos expresa en su obra literaria ese cardinal distingo. Es uno la peculiar índole de sus relatos históricos. Consiste el otro en su intuición estética del instante temporal y del fluir del tiempo.

Leamos un relato histórico muy característico de *Azorín*: "El viejo inquisidor", de *Una hora de España*. ¿A qué recursos literarios acude *Azorín* para evocar la figura viviente de un inquisidor español del siglo XVI? Nadie espere una pintura de "grandes hechos": no aparece en el relato de *Azorín* un auto de fe, ni se ocupa en discutir las razones o las sinrazones de la Inquisición, como hubiera hecho un escritor del siglo XIX. El método de *Azorín* es bien distinto. Cuenta sucintamente una historia familiar y nos hace ver al viejo inquisidor sentado en su cámara, en espera del hijo que estuvo en París y en Flandes, y ha traído consigo libros sospechosos: "Poco después resuenan otros pasos. Y éstos, sí, éstos son los pasos del hijo. Los pasos se oyen más cerca. El viejo caballero, instintivamente, sintiendo una dolorosa opresión en el pecho, se levanta. Una mano acaba de posarse en el picaporte de la puerta. La puerta se está abriendo..." Así termina el relato de *Azorín*. ¿Cómo ha construido el escritor su evolución historiográfica? La respuesta parece inmediata: describiendo unos cuantos "hechos" concretos, cotidianos, e indagando su sentido profundo. La mirada del viejo inquisidor al retrato de la esposa muerta, su progresiva palidez, el acto de levantarse mientras suenan tras la puerta unos pasos y una mano se posa en el picaporte, todo eso *revela* muy eficazmente la situación histórica en que vive el hombre descrito. Un recurso literario nuevo, la atención estética a los menudos hechos de la vida cotidiana, se ha convertido en método historiográfico. Muchas de las descripciones históricas de *Azorín* se caracterizan por el siguiente método descriptivo, idéntico en todas: *la sustitución de los hechos que habitualmente son considerados como históricos por los hechos menudos y concretos de la vida cotidiana.*

Leamos ahora otra evocación histórica de *Azorín*: "Jorge Manrique", de *Al margen de los clásicos*. De modo muy expreso se pregunta *Azorín*: "Jorge Manrique... ¿Cómo era Jorge Manrique?" La interrogación es en sí misma un problema historiográfico. ¿Cómo lo resuelve *Azorín*? "Jorge Manrique —prosigue *Azorín*— es una cosa etérea, sutil, frágil, quebradiza. Jorge Manrique es un escalofrío ligero que nos sobrecoge un momento y nos hace pensar... ¿Cómo podremos expresar la impresión que nos produce el son remoto de un piano en que se toca un nocturno de Chopin, o la de una rosa que comienza a ajarse, o la de las finas ropas de una mujer a quien hemos amado y que ha desaparecido hace tiempo, para siempre?" Un punto de atención nos hace ver que *Azorín* evoca la peculiaridad viva de Jorge Manrique —una "figura histórica", como suele decirse— merced a un doble expediente: una breve ráfaga de metáforas ajenas a la historia, rigurosamente extratemporales ("una cosa etérea", "un escalofrío ligero"...), y una serie de alusiones a sentimientos posibles en la intimidad personal del lector: el nocturno lejano, la rosa ajada, las ropas de la amada muerta. El escritor ha construído ahora literariamente su evocación historiográfica eludiendo todo suceso histórico propiamente dicho y evadiéndose hacia la comunidad genéricamente humana, transhistórica, que por necesidad existe entre la persona histórica evocada y la persona del lector. El método descriptivo es ahora *la sustitución de los sucesos históricos por la descripción de ciertas vivencias pertinentes a la intimidad personal de todos los hombres, cualquiera que sea la época en que vivan.*

En el primer caso, el escritor se evade de la Historia —o, mejor dicho, de lo que suele llamarse Historia— hacia la cotidianidad; en el segundo, salta desde la Historia hacia la intimidad personal. En uno y otro, *Azorín* ha buscado para sus descripciones "historiográficas" zonas de la vida humana ajenas al dominio de lo que él mismo llama los "grandes hechos". Siempre será fiel a sus propios métodos. En el libro titulado *Castilla* va a pintar su propia imagen de la entidad física e histórica así llamada. ¿Cómo lo hará? "Se ha pretendido en este libro —advierte en las palabras nuncupatorias— aprisionar una partícula del espíritu de Castilla. Las formas y modalidades someras y aparatosas han sido descartadas; más valor y eficiencia concedemos, por ejemplo, a los ferrocarriles —obra capital en el mundo moderno— que a los hechos de la historia concebida en su sentido tradicional y ya en decadencia." Los menudos hechos de la vida cotidiana, los restos muertos del pasado (la poesía de las viejas piedras) y las vivencias que constituyen el mundo de la intimidad humana son, en suma, los materiales a que recurre *Azorín* para edificar sus descripciones históricas.

En la preferente atención de *Azorín* hacia los menudos hechos hay, además, otro sutil elemento: la intuición azoriniana del instante temporal y del fluir del tiempo.

Todos saben que la sensibilidad estética de *Azorín* percibe muy delicadamente el tránsito irreparable del tiempo. Todos saben, igualmente, que el tema de la fugacidad de las cosas es frecuentísimo en las páginas de *Azorín*. Pero esto no es sino el planteamiento de un problema, de este problema: ¿Cómo intuye la sensibilidad estética de *Azorín* el hecho de que el tiempo huya? Nos pondrá en camino hacia la respuesta un análisis de las notas que el instante temporal ofrece al espíritu de *Azorín*. Tres son, en mi entender: su fugacidad, su aislabilidad y su repetibilidad.

El instante temporal es fugaz, huye permanentemente. "Este minuto que ahora vivimos —dice *Azorín* una vez, evocando a fray Luis de León—, ya no lo volveremos a vivir; este rostro del ser querido... ha de ser llevado en la corriente inexorable del tiempo... Lo que creemos que debiera ser perenne, acabará del mismo modo que las cosas más viles y vulgares. Todo se mudará y acabará. Y allá arriba, en la inmensidad de la bóveda negra, esa estrella parpadeará con sus relumbres rojos, verdes y azules." Todo pasa, todo huye, como esas nubes que contempla Calixto en un relato evocativo del libro *Castilla:* "Sentimos, mirándolas, cómo nuestro ser y todas las cosas corren hacia la nada... Las nubes son la imagen del Tiempo. ¿Habrá sensación más trágica que aquella de quien sienta el Tiempo, la de quien vea ya en el presente el pasado y en el pasado lo por venir?" El instante es fugaz, y su fugacidad nos revela que corremos hacia la nada.

Su propia fugacidad hace al instante singular, puntualmente original. Lo que está siendo es y no volverá a ser. Pero tal singularidad es, piensa *Azorín*, aislable; el instante temporal puede ser recortado por la descripción del artista que lo percibe. Saber aislar estéticamente el instante temporal es una de las técnicas artísticas que *Azorín* más alto valora. He aquí, por ejemplo, cómo expresa las razones de su preferencia por Góngora y el Greco: "... un soneto de Góngora... La gran innovación de Góngora consiste en que nos da la sensación *aislada*, cuando los demás nos daban antecedentes y consiguientes." Según *Azorín*, Góngora sabe aislar en el tiempo la puntual singularidad de una sensación. Lo mismo sabe hacer el Greco, a favor de su técnica cromática: "En el cuadro del Greco hay unos matices azulinos, verdes sucios, amarillentos desleídos, que, ellos solos, sin más cooperación, suscitan en nosotros estados espirituales indefinidos. El poeta (alude *Azorín* a una estrofa de Quintana) nos coloca fuera de toda concatenación histórica y social. Y la operación que efectúa el pintor, con sólo su color, es la misma. No nos sentimos ya ligados a lo que pasará o haya de pasar. Nos encontramos dueños de una sensación prístina e inactual." Es ésta la aspiración más central de la estética impresionista. Y esa conquista técnica —reconquista, mejor, si se piensa en Góngora y en el Greco— es la que, según *Azorín*, habrían hecho los escritores y pintores del 98.

Fugacidad y aislabilidad son tan sólo la corteza visible del instante temporal. No nos dejemos seducir por la exterior apariencia. Metámonos en la entraña misma del instante y advirtamos en él, con *Azorín*, su esencial repetibilidad. El instante espiritual que pasó, pasado está; pero, sin mengua de su pasada singularidad, aquel instante puede ser

de algún modo repetido en nuestra propia alma, si el artista
posee sabiduría para evocarlo. Leamos las palabras del propio *Azorín:* "El momento es fugaz. Tratamos de fijar en el
papel y en el lienzo la sensación, y no sabemos si los demás
sentirán o no ante la tela o el papel lo que nosotros hemos
sentido. ¿Y será definitiva esta adquisición efectuada para el
arte? ¿Qué habrá en ella de primitivo nuestro intransmisible
y de elemento propicio a la generalización? ¿Copiar a Góngora? ¿Copiar al Greco? Hacer lo que ellos han hecho no es
continuarlos... *Lo esencial —esencial y fecundo— es sentir
lo que ellos han sentido y dar a la sensación nueva forma
estética.*"

El instante temporal puede ser repetido. ¿Cómo? ¿Copián-
dolo, acaso? No, sino creándolo de nuevo, re-creándolo, por
medio de una evocación. Es, si bien se mira, el método de
Proust. Proust trata de encontrar y recuperar el tiempo perdido evocándolo mediante *la memoria involuntaria.* Su método es el establecimiento de una coincidencia entre una sensación presente y un recuerdo. Precursoramente proustiana
es la evocación del *pasado biográfico* que *Azorín* efectúa en
muchos capítulos de *Las confesiones de un pequeño filósofo;*
proustiana es asimismo la evocativa repetición del *pasado
histórico* —de ciertos instantes temporales de ese pasado histórico— que se ha propuesto *Azorín* al escribir muchos de
sus relatos historiográficos. Una sensación o un sentimiento
presentes, provocados por el escritor en el alma del que lee,
y una alusión más o menos expresa al recuerdo que el lector
tiene de sus propias lecturas, son los instrumentos de la
evocación azoriniana. De su coincidencia nace la repetición,
la recreación del instante pasado. Porque somos hombres, y
en cuanto somos hombres nos está dada la posibilidad de
repetir en los senos mismos de nuestra alma los fugaces y
singulares sentimientos de los hombres que pasaron.

Es a esto a lo que llama *Azorín* "ver volver". Tornemos
al relato *Las nubes:* "Las nubes son siempre varias y siempre las mismas", dice *Azorín.* Había escrito Campoamor que
vivir es *ver pasar. Azorín* completa este pensamiento: "Sí
—escribe—; vivir es ver pasar; ver pasar, allá, en lo alto,
las nubes. Mejor diríamos: vivir es *ver volver.* Es ver volver
todo en un retorno perdurable, eterno; ver volver todo
—angustias, alegrías, esperanzas—, como esas nubes que son
siempre distintas y siempre las mismas, como esas nubes
fugaces e inmutables."

Azorín, que no en vano se ha proclamado en su mocedad
adepto de Nietzsche, bautiza a su propio pensamiento con
una expresión nietzscheana nada idónea, en mi entender,
para dar nombre a lo que él intuye y piensa. No "vuelven"
los instantes pasados porque esté todo en retorno perdura-

ser histórico ni actual, pero saber oír la flauta griega... El
arte es bello porque suma en las formas actuales evocaciones
antiguas, y sacude la cadena de siglos, haciendo palpitar
ritmos eternos de amor y de armonía." Por eso, porque así
ve su propio quehacer artístico, ha podido darnos esta consigna: "Amemos la tradición, pero en su esencia, y procurando descifrarla como un enigma que guarda el secreto del
Porvenir."

Bajo la piel brillante de los textos precedentes palpitan
en tierno esbozo la historiología de Unamuno y la historiografía estética de *Azorín*. De Unamuno es esa visión del tiempo como brote expresivo y sucesivo de la eternidad, como es
unamuniana la implícita distinción entre una tradición esencial, transhistórica, y otra accidental e histórica. En la intrahistoria o tradición eterna ve Unamuno la "madre del ideal",
la vena soterraña de que emergen todos los concretos ideales
"históricos" de los hombres; y Valle-Inclán, sin copiar una
tilde, dice por su cuenta que en la tradición esencial se
guarda el secreto del futuro. Busca Valle la belleza evocando
lo antiguo —y en lo antiguo lo eterno— mediante formas
artísticas nuevas, actuales; y *Azorín* la encuentra evocando
lo ya pasado a merced de lo que es permanentemente humano. Las coincidencias son demasiado flagrantes para atri-
buirlas al azar. Y si se descarta, como en rigor debe hacerse,
la imitación deliberada, no queda sino la hipótesis del parecido histórico que llamamos generacional.

Innegable es también, a mi juicio, una honda semejanza
entre las novelas históricas de Valle-Inclán y las de Baroja,
en cuanto atañe al modo de ver y evocar el pasado. Bajo
la visible floresta de tantas diferencias individuales, une a
Valle y Baroja la profunda analogía de su técnica evocativa.

Reléanse, a este propósito, las tres novelas históricas de
La guerra carlista, y déjese de lado el fervor carlista de
aquel Valle-Inclán y cuantos pormenores de la acción novelesca puedan haber sido teñidos por el entusiasmo estético-
político del autor. Hemos de plantearnos otro problema, que
bien puede ser llamado historiográfico. ¿Qué se ha propuesto
el escritor Valle-Inclán, en tanto escritor, al componer las
novelas de *La guerra carlista*? La respuesta parece inmediata: se ha propuesto, evidentemente, evocar un fragmento del
pasado histórico. ¿Y cómo cumple su empeño, de qué recursos técnicos, literarios, se vale para llevar a buen término su pretendida evocación? ¿Son esas novelas "cuadros
de historia"?

Basta una somera comparación con los *Episodios nacionales,* como en el caso de Baroja, para resolver la posible
duda. Los *Episodios nacionales* son una serie de cuadros de
historia atravesados por el hilo unitivo de cierta acción no-

velesca elemental. La técnica de los *Episodios* puede ser reducida a sencillísima receta: tómese la materia histórica contenida en un tomo de la *Historia*, de Lafuente, redáctesela con mejor pluma, vístasela de ropaje novelesco —y si el ropaje es una simple hoja de parra, mejor: un muchacho de origen oscuro que va medrando de aventura en aventura, camino de su *happy end*—; hágase todo esto y se tendrá un tomo de Galdós: *Trafalgar, Zaragoza* o *Napoleón en Chamartín*.

No puede ser más distinto del galdosiano el común proceder de Valle-Inclán y Baroja. Uno y otro toman un fragmento del pasado y lo retratan novelescamente "desde dentro", desde el pormenor de las vidas humanas que con su acción van dando cuerpo a ese fragmento de la historia pretérita. *Azorín* ha querido buscar el espíritu del pasado en los hechos que tejen "la sutil trama de la vida cotidiana" y en la visión de "las células palpitantes que crean y sustentan las naciones". Baroja y Valle-Inclán, cada uno a su modo, con su personal visión literaria de lo que es la vida humana y la vida española, evocan el tiempo pasado mostrando la entraña viva y palpitante que entrambos adivinan bajo el epidérmico relato de los historiadores. Los dos, diría Unamuno, van a la historia a través de la intrahistoria.

Más aún: los dos, como Unamuno, desprecian la historia que "se cuenta": "¡La Historia! —dice a la condesa de Vértiz la marquesa de Redin, en *Gerifaltes de antaño*—. ¿Sabes tú quién hace la Historia, hija mía? En Madrid, los periodistas, y en estos pueblos, los criados." Frente a la historia narrada y superficial de los periodistas y de las comadres, levanta Valle-Inclán la intrahistoria hecha cada día por la vida real de los hombres de carne y hueso; le importan los hechos concretos, aunque sean fragmentarios, no el *flatus vocis* de los historiadores. El tráfago cotidiano del sacristán Roquito, de *Cara de Plata*, y del cabecilla Miquelo Egozcue son la carne viva, el fondo humano de donde emerge la historia visible y fugaz. La consecuencia es obvia: ese tráfago cotidiano, subhistórico en sí, histórico por sus consecuencias visibles y por su integración en el total cuerpo de la historia de España, debe ser la materia misma del relato novelesco, y no lo que cuentan Lafuente y Pirala, incapaces de ver allende la piel de los sucesos.

Baroja y Valle han sabido crear, cada uno por su vereda, un nuevo modo de entender y hacer la novela histórica: los dos evocan la historia instalados en la intrahistoria; y lo hacen así porque en ésta ven latir, como Unamuno, lo que en el hombre hay de genéricamente humano, lo que tiene de permanente y repetible el mudable y huidizo acontecer temporal de los hombres. Para describir el pasado, basta con

saber copiar la prosa de los archivos; para evocarlo, sea
historiográfica o novelística la técnica de la evocación, es
preciso, nada menos, saber "ser hombre". Bajo la técnica
usada por Valle-Inclán y por Baroja en sus novelas históricas vive y alienta la implícita historiología de toda la generación del 98.

Tengo por cierto que también la habría confesado Antonio
Machado, si se hubiese decidido a escribir algo acerca de la
Historia. Ha expresado, en cambio, su vivencia poética del
tránsito del tiempo, y en ella coincide muy claramente con
Azorín.

Percibe Antonio Machado con honda agudeza la irreparable fugacidad del instante vivido:

> *La tarde de abril sonrió: La alegría*
> *pasó por tu puerta—y luego, sombría:*
> *Pasó por tu puerta. Dos veces no pasa.*

Y aún es más punzante el sentimiento de esa fugacidad en
un "consejo" de su *Soledades:*

> *Este amor que quiere ser*
> *acaso pronto será;*
> *pero ¿cuándo ha de volver*
> *lo que acaba de pasar?*
> *Hoy dista mucho de ayer.*
> *¡Ayer es nunca jamás!*

No es un azar que este dolor del tiempo fugitivo impregne
tan densamente la poesía de Antonio Machado, cuando el
poeta, disfrazado de Juan de Mairena, ve en tal vivencia y
en la capacidad para expresarla bellamente el mejor signo
de vida poética genuina: "La emoción del tiempo es todo
en la estrofa de don Jorge (Manrique); nada, o casi nada,
en el soneto de Calderón (*Estas que fueron pompa y alegría...*). La diferencia es más profunda de lo que a primera
vista parece. Ella sola explica por qué en don Jorge la lírica
tiene todavía un porvenir, y en Calderón —nuestro gran
barroco— un pasado abolido, definitivamente muerto."

El instante temporal es fugaz y singular. Mas también es
susceptible de ser "repetido" por evocación, y este evocar
lo pasado es una de las tareas primordiales del oficio poético.
"El poeta —dice Juan de Mairena en su *Arte poética*—, pretende que su obra trascienda de los momentos psíquicos en
que es producida. Pero no olvidemos que, precisamente, es
el tiempo (el tiempo vital del poeta con su propia vibración) lo que el poeta pretende intemporalizar, digámoslo
con toda pompa: eternizar."

Según Machado, el poeta verdadero vive agudamente la fugacidad del tiempo —de su propio tiempo— y trata a la vez de "eternizarlo" mediante su propia expresión. ¿Cómo ha de ser tal expresión para que el poeta logre su ambicioso propósito? La respuesta sonará a paradoja en los oídos ajenos a la emoción poética. La expresión ha de mostrar del modo más vivo y sugestivo la singularidad, la fugacidad del instante expresado. Si no fuese así —es decir, si el poeta recurre a generalizaciones lógicas, a conceptos genéricos intemporales, como hizo Calderón—, no es el instante lo que perdura, sino su momia: la poesía es entonces lógica y no lírica. Pero si el poeta sabe sugerir vivamente la fugaz singularidad del instante, éste pervivirá, seguirá viviendo, porque gracias al poeta ha conseguido una suerte de inmarcesible eternidad estética: "El poeta —Jorge Manrique— no pretende saber nada; pregunta por damas, tocados, vestidos, olores, llamas, amantes... El ¿qué se hicieron?, el devenir en interrogante, individualiza ya estas nociones genéricas, las coloca en el tiempo, en un pasado vivo, donde el poeta pretende intuirlas como objetos únicos, las rememora o evoca."

El poeta ha dado pervivencia poética a lo fugaz expresando vivamente la fugacidad misma. Cuando Jorge Manrique da expresión poética a su vivencia instantánea y pasada de *aquellas ropas chapadas*, vistas antaño en las vueltas de una danza, esas ropas "surgen ahora en el recuerdo, como escapadas de un sueño, actualizando, materializando casi el pasado en una trivial anécdota indumentaria". Y es así, porque cuantas veces un alma poéticamente sensible lea o relea la estrofa de Jorge Manrique, el instante temporal a que el poeta ha sabido dar expresión revivirá en ella, será en ella recreado por obra de la evocación. Porque los dos somos hombres, y porque Jorge Manrique, hombre y poeta, supo expresar vivamente el instante en que su alma revivía otro instante ya pasado, puedo yo, hombre y lector, recrear esos dos instantes y darles en mi alma una perviviscente repetición. Es a esto a lo que en el lenguaje poético de Antonio Machado se llama "saber soñar" y "hacer soñar": el poeta es el hombre que sabe soñar y expresar bellamente sus sueños; y el lector de poesía sueña, porque el poeta, mediante la expresión de sus propios sueños, ha sabido hacerle soñar un sueño a la vez repetido e inédito.

> *Tú sabes las secretas galerías*
> *del alma, los caminos de los sueños.*
> *y la tarde tranquila*
> *donde van a morir...*

Son éstos los sueños que conducen al hombre hacia un modo de vivir en que la vida no pasa ni se consume; ese

vivir transtemporal a que el hombre llega cuando recupera
por evocación el tiempo perdido y al que llegará con su muerte cuando se acabe el tiempo de su vida:

> *Allí te aguardan*
> *las hadas silenciosas de la vida,*
> *y hacia un jardín de eterna primavera*
> *te llevarán un día.*

Mediante la evocación ensoñadora vuelve el alma a nacer
y recupera el tiempo y la vida perdidos en el pasado:

> *¡Ah, volver a nacer, y andar camino,*
> *ya recobrada la perdida senda!*
> *Y volver a sentir en nuestra mano*
> *aquel latido de la mano buena*
> *de nuestra madre... Y caminar en sueños*
> *por amor de la mano que nos lleva.*

Por eso puede decir Antonio Machado, dando ceñida expresión a su doctrina sobre la fugacidad y la repetibilidad
del instante temporal:

> *De toda la memoria, sólo vale*
> *el don preclaro de evocar los sueños.*

Estas han sido las personales respuestas de todos los escritores del 98 ante el problema que suscitan en el hombre
la Historia y el paso del tiempo. Cada cual a su modo —unos
frontalmente, mediante conceptos o preconceptos, otros por
la tangente de las metáforas—, todos dan expresión en su
obra a una actitud común, en la cual es nota fundamental
la disociación conceptual o estética de lo fugaz y lo permanente, o, como diría Unamuno, de la historia y la intrahistoria. Es ya hora de preguntarnos por la razón de la
coincidencia y, a la vez, de recoger un cabo que dejé suelto
en las páginas precedentes. Cuando me hice problema del
distingo unamuniano entre la historia y la intrahistoria,
aislé cuatro de sus posibles momentos determinantes: la peculiaridad temperamental de don Miguel de Unamuno, la
línea filosófica en que quiso situarse, el prestigio del "hecho"
como elemento de la realidad cognoscible, su situación histórica en tanto español. ¿Cómo esa situación histórica, com-
partida por todos los miembros de la generación, pudo
determinar —o codeterminar, cuando menos—, esa común
disociación entre la historia y la intrahistoria, y el común
menosprecio de lo que suele designarse con el nombre de la
primera?

Hay que buscar el nexo en el modo generacional de vivir su situación histórica de españoles. Todos sienten con amargura, con ferocidad a veces, la terrible inconsistencia histórica de aquella España: aquella España no les gusta. Les desplacían a un tiempo las mezquinas tentativas modernizantes de los que aspiraban a convertirla en un país europeo y las consecuencias visibles y operantes de la historia pretérita. Unas y otras componen el rostro histórico que les disgusta. Y desde su aversión de españoles por la historia visible de España a su aversión de hombres por cualquier historia visible, por la historia visible en sí, ¿hay algo más que un paso? Dice Unamuno que la metafísica española del libre albedrío nació como consuelo intelectual, hacia adentro, de quienes por obra de nuestra historia castiza no eran libres hacia afuera. "¡Gran Celestina la metafísica!", comenta. No sé hasta qué punto será esto cierto. Sí creo, en cambio, que su metafísica de la Historia y la de todos sus camaradas de generación, tan despreciadora de lo histórico, tan pugnaz contra el mundo de los sucesos y de los grandes hechos, no era ajena a la insatisfacción de todos ante la historia de España que veían. De la amargura con que vivieron la historia de España pasaron, insensiblemente, al menosprecio de la Historia. ¿Hubieran pensado así, en el caso de vivir una situación de España históricamente satisfactoria?

Al propio tiempo, aman a España desde las telas mismas de su corazón. Su amor a España y su hostilidad contra nuestra historia visible les llevan a buscar "otra España" en el pasado, en el futuro y en la realidad misma del país. Este empeño de españoles tiene un correlato intelectual en el de hallar dentro del acontecer humano algo que no sea "Historia", en el sentido tradicional y consueto de esta palabra. España es amable y su historia no, porque España no es su historia. Pues bien, la tácita consideración de lo que España *es* por debajo de su historia visible, les conduce hacia el concepto universal, genéricamente humano, del "algo" que en el acontecer de los hombres no es historia. Ese modo de existir que no es historia, sin dejar de ser vida humana y personal, eso que les permite seguir siendo hombres después de haber dimitido su condición de seres históricos, vendrá a tomar en la obra de cada uno figura y nombre distintos: intrahistoria, mundo de los menudos hechos, constitución ideal de los pueblos, vida artísticamente novelable, permanente humanidad que aflora en cada fugaz instante de la vida humana y evocan los verdaderos poetas. Aunque cada uno lo haya sido a su modo, todos ellos han sido hijos del mismo tiempo. Por esto decimos, con pensamiento y lenguaje analógicos, que todos forman una "generación" de españoles.

Capítulo VII

ESPAÑA SOÑADA

Volvamos a la común situación de los hombres del 98 ante el problema de España, tal como éste se les ofrecía entre 1895 y 1900. Dos caminos parecen abiertos: la acción reformadora y la creación literaria. A los dos van a entregarse todos, con ahinco mayor o menor. Pero por vocación y por aptitud son literatos, no son políticos. Su conato de intervención activa en la vida política española es en la biografía de todos ellos aventura fugaz; "verdura de la era", la llamaría su amado Jorge Manrique. Ninguno ha descrito tan clara y bellamente como Antonio Machado el tránsito de la generación desde el dolor hacia el sueño de España, luego de haber tangenteado fugazmente la ribera de la acción. Es en su poema *Una España joven*. En la primera estrofa, una eficaz pintura de la España que encontraron al comienzo de su vivir:

> ... *Fué un tiempo de mentira, de infamia. A España toda,*
> *la malherida España, de Carnaval vestida*
> *nos la pusieron, pobre y escuálida y beoda,*
> *para que no acertara la mano con la herida.*

Expresa el poeta la alegría falaz, la algazara cortical y necia de España poco después de la Restauración, cuando suena en los organillos la música de Chueca y se hace creer a los españoles en la seguridad y el vigor de la patria. A esa España abren sus ojos los jóvenes que luego constituirán el grupo del 98.

> *Fué ayer; éramos casi adolescentes; era*
> *con tiempo malo, encinta de lúgubres presagios,*
> *cuando montar quisimos en pelo una quimera,*
> *mientras la mar dormía ahita de naufragios.*

Pronto han advertido todos la inconsistencia de aquella España y el dolor de su destino. Bajo la risa carnavalesca, el lúgubre presagio de 1898. Duerme el mar, llena su entraña de las naves hundidas en nuestro naufragio secular. Los adolescentes de la futura generación comienzan a soñar e inician su crucero:

> *Dejamos en el puerto la sórdida galera*
> *y en una nave de oro nos plugo navegar*
> *hacia los altos mares, sin aguardar ribera,*
> *lanzando velas y anclas y gobernalle al mar.*

Han dejado la galera de la España vieja y se embarcan en la nave de los sueños: la España soñada, capaz otra vez de un viaje imprevisible e infinito. Flota el mundo del sueño sobre el mundo viejo y real, y la turbulenta acción de los soñadores parece abrir camino a la luz de un nuevo amanecer:

> *Ya entonces, por el fondo de nuestro sueño —herencia*
> *de un siglo que vencido sin gloria se alejaba—*
> *un alba entrar quería; con nuestra turbulencia*
> *la luz de las divinas ideas batallaba.*

Los jóvenes de entonces peleaban por las ideas eternas: la verdad, el bien, la justicia, la belleza. Era la luz de estas ideas la que parecía insinuarse a través del fondo viejo; y, por un momento, sintieron la esperanza de ver el triunfo de su propio sueño. Pronto se dispersaron, sin embargo; cada uno siguió la senda de su propia obra, y confiaron todos en el rosado mañana de aquel ayer:

> *Mas cada cual el rumbo siguió de su locura;*
> *agilitó su brazo, acreditó su brío;*
> *dejó como un espejo bruñida su armadura*
> *y dijo: "El hoy es malo, pero el mañana... es mío."*

Fué su locura una locura quijotesca. Don Quijote, bajo especie de mito, cabalgaba otra vez sobre la tierra española. ¿Cuál sería el término de la aventura? ¿Podía ser otro distinto del fracaso? Como en la quijotesca, también en esta aventura continuó el rico Juan Haldudo vapuleando a su criado mozuelo, y la venta siguió siendo venta, luego de haber parecido castillo:

> *Y es hoy aquel mañana de ayer... Y España toda,*
> *con sucios oropeles de Carnaval vestida*
> *aún la tenemos: pobre y escuálida y beoda;*
> *mas hoy de un vino malo: la sangre de su herida.*

Ya no queda sino meterse en la estancia más secreta del propio ensueño y esperar. Saber esperar a que otra leva de españoles sienta en el alma el espolazo de una nueva ilusión, de una aventura nueva y más alta:

> *Tú, juventud más joven, si de más alta cumbre*
> *la voluntad te llega, irás a tu aventura*
> *despierta y transparente a la divina lumbre,*
> *como el diamante clara, como el diamante pura.*

Azorín ha sido inventor y abogado de su propia generación; Antonio Machado, su poeta. Ha cantado el nacimiento del grupo y su aventura. El historiador —yo, en este
caso— debe recoger el mensaje del poeta y preguntarse por
la quimera española que soñaron los soñadores del 98. Vamos a ello.

Todos los escritores del grupo, cada cual por su camino,
han conseguido hacia 1905 dar a su existencia una módica
seguridad exterior. Los que más vivamente sintieron el ansia
de una rápida reforma de la vida española, han abandonado
pronto el camino de la acción y sienten en lo hondo del alma
el fracaso de sus proyectos juveniles. Relativa comodidad
externa, prestigio literario, contento de la propia obra, punzante sentimiento de la insuficiencia de España y del fracaso personal ante los problemas patrios. ¿No están dadas
las condiciones más favorables para que los proyectos fra-
casados se transmuten en ensueños?

El fracaso puede conducir a dos metas distintas: el resentimiento y el ensueño. Caen en resentimiento aquellos cuyo
fracaso fué total y que carecen de vida interior suficientemente rica para sobrellevar su propia soledad; porque el
fracaso no consiste sino en eso, en ser condenado a soledad
por el tribunal del mundo propio. Evádense desde el fracaso hacia el ensueño los que compensan sus parciales de-
rrotas con triunfos de otro linaje y, en todo caso, aquellos
que saben excavar en el suelo de su propia soledad, hasta
hallar la vena preciosa que la soledad siempre contiene.
"Quant à des conseils —escribía Mallarmé al joven Paul Va-
léry, en 1890—, *seule en donne la solitude...*" Sí, quien sepa
cultivar la propia soledad, ése obtendrá siempre el impagable
tesoro interior de un ensueño vivo y vivificante. Poco importa que ese ensueño tenga índole distinta, según sea el espíritu del solitario, y se llame unas veces mundo poético y
otras creación filosófica, y algunas, mucho más sencilla y hondamente, esperanza.

No podían caer en resentimiento los hombres del 98. Habían fracasado como españoles, porque desearon "otra España", clamaron por ella y cuando llegó "aquel mañana de
su ayer" —1915, 1920—, España, bajo la apariencia de cierto
progreso material, seguía siendo tan insatisfactoria como en
1900. Pero junto al fracaso del fragmento español de su ambición estaba su triunfo literario, cada vez más indiscutible
y menos discutido, y estaba, sobre todo, su ingénita capacidad de ensueño, su íntima y decisiva vocación literaria. No
cayeron en el resentimiento, y se evadieron hacia el ensueño.
Mejor aún: después de alquitararlos y embellecerlos, convirtieron en ensueños sus proyectos juveniles acerca de España. Muchos de ellos —Unamuno, Baroja, Antonio Macha-

do, Valle-Inclán— seguirán haciendo crítica directa o literaria, dura y ácida siempre, de la España que ven; pero esa
crítica ya no está hecha desde la situación caminante del
reformador, sino desde la situación contemplativa del soñador que ha dado forma acabada a su propio ensueño. Soñadores contemplativos y locuaces son, en efecto, todos ellos,
aunque se les vea entregarse a veces al tráfago de los sucesos y acaso perderse en él. De todos puede ser ese retrato
de un caballero enlutado —*Azorín*— que Antonio Machado
vió en la venta de Cidones, carretera de Soria a Burgos:

> *Sentado ante una mesa de pino, un caballero*
> *escribe. Cuando moja la pluma en el tintero*
> *los ojos tristes lucen en un semblante enjuto.*
> *El caballero es joven, va vestido de luto.*

El caballero escribe y aguarda la llegada del correo, mientras se ensombrece la tarde y un viento frío azota los chopos del camino:

> *La tarde se va haciendo sombría. El enlutado,*
> *la mano en la mejilla, medita ensimismado.*

Va avanzando la tarde, y bajo el sol del ocaso brilla con
resplandor de acero el páramo soriano. Tiemblan las llamas
del lar y chispea el candil:

> *El enlutado tiene clavados en el fuego*
> *los ojos largo rato; se los enjuga luego*
> *con un pañuelo blanco. ¿Por qué le hará llorar*
> *el son de la marmita, el ascua del hogar?*

Tal vez lo supiera Antonio Machado. Nosotros, desde luego, lo sabemos. El caballero enlutado se ha ensimismado en
el mundo de sus sueños. En él vive. Y desde él, en el son de
la marmita y en la fugaz relumbre de las ascuas, ve el íntimo dolor de España y el tránsito irreparable del tiempo. Ese
"dolorido sentir" y esta dolorosa fugacidad son las dos saetas
que hieren el alma del caballero enlutado y le hacen llorar,
perdido entre las agrias barranqueras de Soria, mientras
cae la noche y llega —ruidoso, polvoriento— el coche del
correo.
    El triste caballero se ha sumergido en su propio ensueño.
¿Qué es un ensueño? ¿Por qué los hombres, desde que de
ellos tenemos noticias, detienen de cuando en cuando su tráfico vital, cierran los ojos o miran a una estrella y edifican
dentro de sí esos castillos irreales que llamamos ensueños?

¿Podía dejar Valle-Inclán de soñar, puesto que soñar fué su oficio, una posible vida de España?

Valga otro tanto para Baroja. De niño soñó, como todos, más que todos acaso, aventuras robinsonianas y juliovernescas: "Soñábamos —él y su hermano Ricardo— con islas desiertas, con hacer pilas eléctricas, como el ingeniero Ciro Smith... Mucho tiempo me resistí a creer que tendría que vivir como todo el mundo; al último no hubo más remedio que transigir." De adulto soñaba, no contando sus creaciones novelescas, con un imposible ideal de constante cambio y renovación: "Mi ideal sería cambiar constantemente de vida, de casa, de alimentación y hasta de piel." Y ya al fin de su vida, ha descrito su tránsito por este mundo como un caminar continuo, sin objeto, cantando y silbando canciones alegres o tristes, según el humor y el reflejo del ambiente en su espíritu. A veces —dice Baroja— "intentaba acercarme a la ciudad; pero al querer entrar en ella me paraban y me ponían como condición para pasar el dejar a la entrada unos sueñas gratos, más gratos que la vida misma.

"—No, no; prefiero volver al camino —murmuraba.

"Y seguía marchando con la chaqueta al hombro, al azar, sin objeto, cantando, silbando y tarareando, estremeciéndome con los rumores del campo, con el ruido del agua en el arroyo y el cantar agorero de las cornejas."

Soñando ha pasado su vida Pío Baroja, según confesión propia, desde que anhelaba una existencia aventurera hasta su senectud, cuando conoce "el árbol en que cantan los ruiseñores y la estrella que lanza su mirada confidencial en la noche". Y también él, entre sus innumerables ensoñaciones literarias e íntimas, ha concebido el sueño de una España posible.

Soñador fué, en fin, el triste, el optimista, el desesperado Ángel Ganivet. Muy poco antes de morir envió su personal contribución al que luego se llamó *El libro de Granada*. Un pequeño poema, "La canción de la piedra", construído sobre el pensamiento calderoniano, cuenta líricamente la entraña soñadora de su espíritu:

> *Vida y muerte sueño son*
> *y todo en el mundo sueña;*
> *sueño es la vida del hombre,*
> *sueño es la muerte en la piedra.*
> ....
> *Si muerte y vida son sueño,*
> *si todo el mundo sueña,*
> *yo doy mi vida de hombre*
> *por soñar, muerto en la piedra.*

Ganivet, soñador de sí mismo y de España, sentía en el hondón de su alma que sólo más allá de la muerte puede hallar el hombre satisfacción plenaria a estos sueños con que llena el vacío de su vida en el mundo: sólo entonces podrá ser actualidad todo lo que ahora no alcanza a ser sino posibilidad. Pocos meses más tarde mostraba trágicamente la terrible sinceridad con que había escrito esos versos estremecedores.

Todos los hombres del 98 han hecho del ensueño la actividad cardinal de su vida. Antes expuse la esencial función que el acto de soñar cumple dentro de la economía del existir humano. Sin la compañía de tan modal ideal, no cabrían al hombre sino dos recursos: la animalización, por entrega frontal a los estímulos inmediatos de su ambiente —el "deshombrecimiento", como diría Quevedo— o el suicidio. Supuesta tal misión genérica del ensueño, ¿qué significación concreta tienen los que a lo largo de su vida van creando los hombres del 98? Más ceñidamente aún: ¿qué son para ellos sus propios ensueños acerca de la España posible?

Creo que dos cosas: un método y una meta. Del ensueño hacen un camino para llegar a la España que consideran íntima y auténtica; en él hallan, además, el recurso mágico con que se traban en unidad posible todos los elementos de esa España. Veamos sucesivamente estas dos dimensiones del ensueño en el espíritu de los escritores del 98.

EL CAMINO HACIA DENTRO

Situémonos imaginativamente en los años terminales de nuestro siglo XIX. España va mal. Los espíritus más delicados y avizores han comenzado a sentirlo en medio del optimismo bobo que impera durante la Restauración; el desastre de 1898 lo demuestra con dolorosa patencia a los más ciegos. Y si España va mal, ¿qué deberá hacerse para remediar sus males? Cada esquina de España oculta un terapeuta de la dolencia patria, y las recetas menudean y circulan tanto como los vencejos en los cielos del estío. Es, ya lo sabemos, la época de la "regeneración".

Es muy diverso el contenido de las recetas regenerativas. En algo coinciden, sin embargo, todas o casi todas ellas. Casi todas proponen que España cambie de ocupación y se entregue a las empresas con que entonces se ve prosperar a los pueblos: reconstrucción agraria, reforma de la enseñanza, industrialización, ordenación social justa, trabajo callado, etc. Si hasta entonces España ha pensado preferentemente en la acción exterior, continuando por inercia y sin grandeza su pasado de nación conquistadora, ahora deben pensar los españoles en los quehaceres domésticos que despreciaron, en el riego de sus campos, en sus escuelas, en la repoblación de sus bosques talados. Nacen así los lemas de la época: "escuela y despensa", "doble llave al sepulcro del Cid", "europeización", etc. Señálanse a España, en suma, nuevos quehaceres externos y se indican las nuevas metas de su operación. Frente a esta tendencia "hacia afuera", irán levantando los soñadores del 98 su tendencia "hacia dentro".

Hay un hecho sobre manera significativo. El artículo que encabeza el primer número de la revista *Alma Española* es de Galdós y se titula "¡Soñemos, alma, soñemos!" Pronto se hará famoso este artículo. También Galdós quiere soñar y exalta la necesidad que los pueblos tienen de "un ensueño constitutivo y crónico".

¿En qué consiste el sueño de Galdós? Su ensueño, su modesto ensueño —Valle-Inclán llamará a Galdós, en un esperpento, *el Garbancero;* Baroja le juzga diciendo que "no había en él la más ligera posibililad de heroísmo"—, no es utopía de soñador, sino providencia doméstica: Galdós se limitará a prescribir con cierto calor oratorio los quehaceres que antes habían aconsejado los arbitristas de la regeneración.

No menos expresivas del contraste entre los hombres de la generación que llamamos del 98 y los que les anteceden son las contestaciones a la encuesta —"enquesta", diría Unamuno— abierta por *Alma Española*, acerca del porvenir de España y las condiciones de su engrandecimiento. "¿Dónde está el porvenir y cuál debe ser la base del engrandecimiento de España?", preguntaba la revista. Tomemos dos respuestas muy características e igualmente señeras: la de Cajal y la de Unamuno. Cajal contestó con la frase que tantas veces hemos visto reproducida sobre un retrato suyo, en que aparece, provecto ya, sentado ante el microscopio de su titánica labor: "Cultivar intensamente los yermos de nuestra tierra y de nuestro espíritu..." Propone Cajal, en suma, aprovechar los ríos y las inteligencias.

A Unamuno le parecen demasiado obvias y superficiales todas esas recetas. Comienza diciendo: "Me parece imposible responder bien a esta pregunta... El porvenir de España... no puede estar en un punto determinado ni puede responder un espíritu amplio que esté aquí o allí. Eso queda para los sectarios, sean del género que fueren..." Bien se le alcanza que España "necesita adquirir hábitos de trabajo, ahogar el espíritu de mendicancia que nos corroe, aplicarse a industrias y rehacer la instrucción en sentido más práctico"; pero —añade— "ni esto basta, ni eso puede ser la base de nuestra renovación". No, no es ése el verdadero camino. Nuestra sacudida vital debe ser "de orden espiritual, y más aún de orden religioso. El que no se ejercita a establecer por sí y ante sí, de un modo cualquiera, sus relaciones con el cielo... apenas logrará fijar sus relaciones con el mundo, mediante el trabajo". De ahí la tajante conclusión de Unamuno: "Creo que será engañoso y sólo aparente todo engrandecimiento futuro de España que no se base... en un modo de concebir y sentir la vida religiosa y la libertad de la conciencia cristiana, enteramente distinto del modo como hoy la conciben y sienten los más de los españoles." Seis años antes, en 1897, había escrito Unamuno a *Azorín* palabras que ya conocemos y que conviene ahora repetir: "No espero nada de la japonización de España... Lo que el pueblo español necesita es cobrar confianza en sí mismo, aprender a pensar y sentir por sí mismo, y no por delegación, y, sobre todo, tener un sentimiento y un ideal propios acerca de la vida y de su valor."

Las dos respuesta son típicas. Cajal, representante ahora de todos los regeneradores que anteceden al grupo del 98, da recetas pertinentes al quehacer externo de los españoles. Unamuno, adelantado y primogénito de su generación, pide algo muy distinto: cifra la renovación de España en una remoción íntima de los españoles —espiritual, religiosa— y en la consecución de un sentimiento y un ideal de la vida auténticamente nuestros, rigurosamente propios de España. Cajal propone a los españoles *quehaceres externos* distintos de los anteriores; Unamuno exige una suerte de previa *conversión religiosa*, una *metánoia* española por autovisión de la propia intimidad. "Interiorismo", he llamado en alguna ocasión a esta consigna de la generación del 98. Para que los españoles puedan hacer algo, es preciso que empiecen por conocer la arcana verdad de su propio ser, velada por los cendales de la historia, y sepan fundar sobre ella una visión del mundo original y fecunda.

Esta proposición de Unamuno va a ser el tema de su generación. Mas ya sabemos que los grupos generacionales son constitutivamente indefinidos, y uno de los modos de indefinirse atañe a los temas en que sus hombres se ocuparon. "No hay actitudes ni temas rigurosamente privativos de la generación del 98", dije en una de las páginas iniciales de este libro; y si uno se decide a indagar con atención los precedentes de la consigna interiorista, verá confirmado tal aserto. Interiorista fué, a su modo, Joaquín Costa, el tonante ibero. "Europeización, pero sin desespañolizar", clamaba. Unamuno ha visto con gran agudeza el tremendo contrasentido de Costa, "uno de los españoles más antieuropeizantes" —más iberizantes, más castizos en el modo de ser y más

casticistas en el de pensar— metido a apóstol de la europeización de España. Los trabajos científicos de Costa, si cabe
llamarles así (sus investigaciones sobre literatura y mitolo-
gía celtohispanas, sus estudios en torno a la historia de nuestro Derecho), se proponían en último extremo determinar
"científicamente" la peculiaridad castiza de la vida española.
"El español —escribió Costa— penetra dentro de sí propio
y encuentra por ventura que lleva un hombre en potencia,
cabalmente el hombre que nos hace falta." La frase es reveladora. Costa, que en más de una ocasión expuso la necesidad de volver a los Reyes Católicos, pretendía descubrir
lo que en la vida de España es radicalmente castizo y zam-
bullir luego al español en los senos mismos de su propia peculiaridad, a fin de que se hiciese actualidad operante —energía, diría un aristotélico— el hombre que en potencia lleva
dentro de sí.

Interiorista fué también Menéndez Pelayo; interiorista
a través de la historia, si se quiere mayor precisión. Quiso
don Marcelino —en su mocedad sobre todo— que los naci-
dos en España volviesen a ser españoles genuinos. ¿Cómo?
Ya conocemos su receta: desempolvando los libros de nuestra gran época e impregnándonos del espíritu que en ellos
late. El interiorismo de Menéndez Pelayo postula una reconquista de nuestro espíritu, corrompido por la extranje-
rización de España en los siglos XVIII y XIX, mediante el recuerdo de nuestras olvidadas creaciones intelectuales y artísticas. Quiere Menéndez Pelayo, en suma, que los españoles
se metan en sí mismos por la vía de su propia historia.

Más o menos deliberadamente, en esta línea se sitúan
los jóvenes del 98. Todos ellos van a ser interioristas, cada
uno a su modo. Pero el interiorismo de la generación del 98,
su tendencia a buscar la autenticidad de España *dentro* de
España misma, tendrá un matiz original. Frente al tosco,
seudocientífico e iberizante interiorismo de Costa, el suyo
será o pretenderá ser delicado, poético y humano; frente
al interiorismo historicista de Menéndez Pelayo, ellos pos-
tularán otro más íntimo aún, intrahistórico, por usar la con-
sabida expresión unamunesca. No en vano son más soñadores que demagogos; y llegan al mundo de su ensueño, no lo
olvidemos, heridos por la historia que han visto, enemista-
dos contra la idea misma de la Historia.

Desde sus primeros escritos proclamó Unamuno la consigna
interiorista. Conocer a España sería la primera obligación
de los españoles y tal vez la más incumplida: "España está
por descubrir —decía— y sólo la descubrirán españoles euro-
peizados. Se ignora el paisaje, el paisanaje y la vida toda
de nuestro pueblo"; "en España —añade, poco después— el
pueblo es masa electoral y contribuíble. Como no se le ama,

no se le estudia, y como no se le estudia, no se le conoce para amarle". A través del pueblo y no de la nación, de la intrahistoria y no de la historia, pretende Unamuno llegar a la verdadera intimidad de España; quiere, según sus palabras, "descender, desnudo de toda visión histórica, a nuestro profundo seno". Acompañemos a don Miguel en su descenso a las profundidades de España.

Es el nuestro un viaje de exploración. Distingamos en él, en consecuencia, los cuatro momentos que en toda exploración cabe distinguir: el punto de partida, el método de la penetración, la meta del descenso y el contenido de nuestro hallazgo. Más concisamente: de dónde parte Unamuno, a dónde va, cómo va y qué encuentra a su llegada.

Parte Unamuno de la situación histórica en que vivió. Más exactamente aún, de la idea que de España tenían los españoles en aquella situación histórica. Cree don Miguel que los españoles desconocen a España, a lo cual contribuyen dos causas: su escasa atención a la realidad viva de nuestra Patria y el convencimiento tópico de que a los pueblos se les conoce por su historia visible y relatada. A la desatención de los demás opondrá Unamuno el amor, un nuevo modo de amar a España; al historicismo retórico y consueto, un nuevo método de conocimiento.

El método de que se vale Unamuno para descender a la intimidad genuina de España consiste en estudiar amorosa y poéticamente los tres elementos de nuestra verdadera peculiaridad: el paisaje, el paisanaje y las creaciones no intelectuales de nuestro espíritu. La vivencia del paisaje español se convierte así en un imperativo patriótico; la contemplación de la tierra se trueca en "lección de patriotismo", según expresión del propio Unamuno en *Andanzas y visiones españolas*. Luego expondré lo que Unamuno encuentra siguiendo esta vía de la emoción telúrica.

Del paisanaje estudia la costumbre y, sobre todo, el lenguaje vivo. Recuérdese, por lo que toca a la costumbre, lo dicho en un capítulo anterior. Pero en lo que Unamuno ha puesto más ahinco, según su propia declaración "es en sacar a ras de lengua escrita voces de la lengua corrientemente hablada, en desentoñar y desentrañar palabras que chorrean vida según corren frescas y rozagantes de boca en oído y de oído en boca de los buenos lugareños de Castilla y de León". Así entiende don Miguel la palingenesia de España por que entonces tanto se clamaba. Es a esto a lo que llama reiteradamente "chapuzarse en pueblo", sumergirnos en nuestro plasma germinativo —¡otra vez la sugestión del pensamiento biológico!—, aprender del pueblo: "para enseñar al pueblo hay que aprender primero de él", reza un mandamiento muy unamuniano y aun de toda la generación del 98. Chapuzándose en pueblo, a la vuelta de su excursión juvenil por los campos del pensamiento europeo moderno, habría descubierto Unamuno y tomado gusto "a nuestra vieja sabiduría africana, a nuestra sabiduría popular". En otro apartado veremos lo que para Unamuno es y puede ser ésta sabiduría popular que nos enseña el paisanaje de España.

Tercera vía de acceso a nuestra intimidad genuina es el estudio interpretativo y poético —soñador, en último extremo— de las creaciones no intelectuales de nuestro espíritu. Las intelectuales no sirven, porque la inteligencia razonadora es cosa externa, formal, de superficie, y sus productos moneda intercambiable entre todos los hombres. El arte, en cambio, "parece ir más asido al *ser* y éste más ligado que la mente a la nacionalidad"; y quien dice el arte, dice también las obras nacidas de la actividad no racional de nuestro espíritu, como la mística. Será Unamuno fiel a su programa. Reiteradamente, a lo largo de muchos años, ha intentado llegar a nuestra "primitiva e íntima esencia", como él dice, por el camino de nuestras creaciones artísticas y religiosas. Bien conocida es su técnica, tan viva y personal. Mediante un proceder entre positivo y poético —ensamblando textos y soñando poéticamente sobre ellos—, interpreta las grandes creaciones espirituales de nuestra casta: Don Quijote, Segismundo, el Cristo de Velázquez, la obra de San Juan de la Cruz, de Santa Teresa y de San Ignacio. Quede para luego la tarea de dar cabal explanación a los resultados de su ensueño interpretativo.

Tras el "de dónde" y el "cómo", y el "a dónde". ¿A dónde quiere llegar Unamuno en su aventura exploratoria? Ya lo sabemos: a la intimidad verdadera de España, a nuestra "primitiva e íntima esencia". Pero esto no pasa de ser un rótulo indicador. Tratemos de ver en qué consiste, dentro del pensamiento de Unamuno, esa primitiva e íntima esencia de España.

Llega Unamuno, según él mismo nos dice, a nuestra intrahistoria, y en ella se le revela lo que en varias ocasiones llama la "casta íntima" de España, por oposición a la ocasional y mudadiza "casta histórica" de los casticistas superficiales. Es "el nimbo colectivo, la hondura del alma común en que viven y obran todos los sentimientos, deseos y aspiraciones que no encuentran en forma definida la verdadera subconciencia popular". En otro lugar define a la casta íntima como una "constitución interna", entendida transponiendo a la intrahistoria y al futuro la idea de aquel "contrato social" que Rousseau vió —erróneamente, según Unamuno—, en la Historia y en el pasado: "porque hay en formación, tal vez inacabable, un pacto inmanente, un verdadero contrato social intrahistórico, no formulado, que es la efectiva constitución interna de cada pueblo". Por imperativo de nuestra "constitución interna", "casta íntima" o "subconciencia popular" tendríamos los españoles nuestra peculiaridad y seríamos esencialmente ajenos, en consecuencia, al espíritu que suele llamarse europeo y moderno. "¿No será cierto —se pregunta Unamuno— que, en efecto, somos los españoles, en lo espiritual, refractarios a eso que se llama cultura europea moderna?" Y a solas con su conciencia, se responde: "No; no eres europeo, eso que se llama ser europeo; no, no eres moderno, eso que se llama ser moderno."

Pero Unamuno no es nacionalista, aunque sienta de modo tan esencial su condición de español. Él es y quiere ser hombre, nada más y nada menos que hombre. Por eso no hace de la casta íntima un casticismo estrecho y aislacionista, sino, mucho más generosamente, un modo de ser hombre. En cuanto los españoles sepamos serlo de veras, alcanzaremos la gloria de ser hombres verdaderos: tal es el lema del casticismo humanista de Unamuno. Aspira a fundir en unidad viva el "amor al campanario" y el "amor a la patria universal humana" y quiere hallar "la humanidad en nosotros"; no la abstracta humanidad de los racionalistas y jacobinos, sino la que en todo instante está haciéndose vida a través de la casta: "Humanidad, sí, universalidad —dice—; pero la viva, la fecunda, la que se encuentra en las entrañas de cada hombre, encarnada en raza, religión, lengua y patria, y no fuera de ellas, no en el abstracto contratante social de los jacobinos." A fuerza de ser esencialmente españoles lograríamos ser humanos, universales y eternos: "La tradición eterna española, que al ser eterna es más bien humana que española, es la que hemos de buscar...", postula con manifiesta reiteración; y debe ser así, porque, según la metafísica de Unamuno, "lo absolutamente individual es lo absolutamente universal". Ahondando en la España íntima llegaríase, en fin, a la "España celeste", porción de la Jerusalén celestial dentro de la teología unamuniana de la Historia.

Adentrándose en España, quiero decir, soñando por la triple vía del paisaje, del paisanaje y de nuestras creaciones espirituales, llega Unamuno a la hombreidad y a la Divinidad, según la idea unamuniana de hombre y de Dios. Con lo cual conocemos ya el "de dónde", el "cómo" y el "a dónde" de su viaje a los senos de nuestra vida humana y española. Queda por indagar el contenido de su hallazgo o, si se quiere, la figura de su España soñada. No tardaremos en verla ante nuestros ojos.

El interiorismo de Ganivet ha sido expresado por él en unas palabras famosas: "Una restauración de la vida entera de España no puede tener otro punto de arranque que la concentración de todas nuestras energías dentro de nuestro territorio. Hay que cerrar con cerrojos, llaves y candados todas las puertas por donde el espíritu español se escapó de España para derramarse por los cuatro puntos del horizonte, y por donde hoy espera que ha de venir la salvación; y en cada una de esas puertas no pondremos un rótulo dantesco que diga *Lasciate ogni speranza*, sino este otro más consolador, más humano, muy profundamente humano, imitado de San Agustín: *Noli foras ire; in interiore Hispaniae habitat veritas.*" Propugna Ganivet en estas líneas un interiorismo político, operativo; y es, sin duda, la fuerza de su propio mandamiento la que le conduce a ejercitar su interiorismo contemplativo y definidor. Él piensa y sueña, no legisla.

En un capítulo precedente expuse los caminos del interiorismo contemplativo de Ganivet, tan próximos a los que Unamuno sigue. Basta con lo allí dicho. Aquí me limitaré a mostrar la leve diferencia que, dentro de su indudable y profundo parecido, existe entre el interiorismo de Ganivet y el de Unamuno.

Me servirá para ello el fragmento de Ganivet antes transcrito. Dice el granadino, imitando a San Agustín: *"Noli foras ire; in interiore Hispaniae habitat veritas."* Pero no es eso lo que San Agustín enseña en su archifamoso texto. He aquí sus palabras: *"Noli foras ire, in te ipsum redi: in interiore homini habitat veritas; et si animan mutabilem inveneris, transcende te ipsum"* (de vera rel., 39, 72). No dice San Agustín que la verdad habita "en el interior del hombre" (*in interiore hominis*), sino "en el hombre interior" (*in interiore homine*), conforme a la antropología paulina. Si Ganivet hubiese imitado fielmente a San Agustín, debería haber dicho que la verdad habita "en la España interior" (*in interiore Hispania*) y no "en el interior de España" (*in interiore Hispaniae*).

¿De qué depende ese levísimo trueque? ¿Es un error o se debe a un deliberado propósito de Ganivet? No lo sé. Sea, empero, errónea o deliberada la mudanza, muestra con bastante nitidez el decisivo matiz que separa al casticismo de Ganivet del casticismo de Unamuno. Unamuno busca la verdad de España en la España interior, intrahistórica; y como no quiere descansar sobre lo mudable, sino en lo eterno, sigue el consejo del texto agustiniano y la trasciende, hasta llegar a la eternidad viva y sobrehumana de una platónica "España celeste". Ganivet, fiel a su errónea versión de San Agustín, trata de hallar nuestra verdad en el interior de España, en un "eje diamantino" o "nucleo virginal" subyacente a las vicisitudes de nuestra historia y ajeno a ellas. Según Unamuno, la "casta íntima" o "tradición eterna" de

España se iría *haciendo* inacabablemente, hasta la anacefaleosis final; dentro del implícito pensamiento de Ganivet, la casta española se va *desplegando* con mayor o menor fidelidad a sí misma, según hayan sido y sean los azares exteriores de la historia de España. Ganivet es, en sustancia, mucho más casticista que Unamuno.

En el capítulo *De la acción al ensueño* he relatado la fugaz aventura "regenerativa" de *Azorín*, Baroja y Maeztu. El panfleto que los tres redactaron en 1897 proponía, como los de Costa, Galdós y Macías Picavea, reformas agrarias e hidráulicas, repoblación de montes, todo el programa consabido. Ya sabemos cuál fué la contestación de Unamuno: "Lo que el pueblo español necesita es aprender a pensar y sentir por sí mismo, y tener un sentimiento y un ideal propios acerca de la vida y de su valor."

Esta incitación prende sin demora en el ánimo de todos. Pronto juzgarán tarea mucho más importante conocer la verdad de España y darla a conocer a los españoles, que embarcar a éstos en los quehaceres domésticos de la regeneración. Las páginas de senectud que dedica *Azorín* a vindicar la hazaña de su generación expresan nítidamente su rápido giro hacia el interiorismo teorético y sentimental: "Estaba ya descubierto el paisaje de España, y estaban descubiertas las viejas ciudades y las costumbres tradicionales —escribe *Azorín*—. Pero nosotros hemos ampliado esos descubrimientos y hemos sabido dar entonación lírica y sentimental a cosas y hombres de España... Lo que los escritores del 98 querían era, no un patriotismo bullanguero y aparatoso, sino serio, digno, sólido, perdurable. A ese patriotismo se llega por el conocimiento minucioso de España. Hay que conocer —amándola— la historia patria. Y hay que conocer —sintiendo por ella cariño— la tierra española." "En parte alguna de Europa —añade poco después, comentando el libro *Los males de la Patria,* del ingeniero Lucas Mallada— tienen las cosas tan definida y fuerte personalidad como en el *desierto* de España."

No abandona *Azorín* sus predicaciones en pro de la reforma interior española. En varios de sus libros —*Antonio Azorín, Los pueblos, La ruta de Don Quijote*— clama y clama por la transformación de nuestra arcaica agricultura, por la industrialización de España, por el mejoramiento de la vida rural española. Poco a poco, sin embargo, va siendo más fiel a la condición ensoñadora de su espíritu, y su actitud ante España será el puro interiorismo contemplativo. La visión estética del paisaje y la rememoración de nuestra historia, según la técnica evocativa que antes mostré, son los métodos más empleados por *Azorín* para llegar a la

tierra es antes *medio* que *paisaje;* el mundo físico es tierra
en torno al hombre (concepción escenográfica del medio: Pereda) o tierra determinante de la vida humana (concepción
positivista del medio: Zola), a diferencia de la visión romántica de la tierra como paisaje en, por y para el hombre,
confesada por Unamuno.

La tierra determina al hombre y es determinada por él,
en comunidad estrecha de vida. Es, dentro del ensueño de
que forma parte, un estamento vivo, vivificante del hombre
que la contempla y a la vez vivificado por la contemplación
misma. El campo de Castilla, elemento esencial de la España
soñada por Unamuno, no es dentro de ella una llanura
geológica más o menos hermosa, sino superficie viviente que
le alza hacia el cielo,

> en la *rugosa palma de su mano,*

o que descansa, serenamente,

> con un *respiro poderoso y quieto.*

Y es también lienzo desnudo sobre el que proyecta el contemplador sus propios sentimientos y emociones, para ver-
los luego como cosa objetiva, ajena casi a su alma; y así
puede ser un pino triste o alegre, y anhelante o reposado
un álamo solitario en la llanura.

La tierra que fundamenta el ensueño de todos los escritores del 98 es la de la España real, y en él cumple la
triple función sustentadora, activa y receptiva que acabo de
señalar. Veámoslo en cada uno de ellos.

Vive el hombre, según Unamuno, entre dos patrias, la terrenal y la celeste. Pero su patria terrenal no es la nación
histórica a que pertenece, sino la tierra física del país en
que nació y vive: "tiene (el español), aquí abajo, una patria
de paso, y otra, allá arriba, de estancia. Pero lo que tiene
no es nación; es patria, tierra difusa y tangible, dorada por
el sol, la tierra en que sazona y grana su sustento, los campos conocidos, el valle y la loma de la niñez, el canto de la
campana que tocó a muerte por sus padres, realidades todas
que se salen de las historias..."

Es patria el paisaje, porque, además de ser la tierra de
los padres, ejerce una acción viva, paterna, sobre los hombres
que en él y de él viven: "¿No se refleja acaso en el paisanaje el paisaje? —pregunta Unamuno—. Como en su retina,
vive en el alma del hombre el paisaje que le rodea." Años
más tarde, frente a un paisaje de negrillos, hará más precisa Unamuno esta misma afirmación: "Muy cierto que la
comarca hace a la casta, el paisaje —y el celaje con él— al
paisanaje; pero no tan sólo en un sentido terreno y cor-

póreo, material, y como de tierra a cuerpo —todo de barro—, sino además, y acaso muy principalmente, en otro sentido más íntimo, especulativo y espiritual, de visión a espíritu todo de barro. Quiero decir que no es sólo como alimento de estómago, y por su gea y clima y fauna y flora, como nuestra tierra nos moldea y hiere el alma, sino como visión, entrándonos por los sentidos." Esboza Unamuno, ya se ve, una elaboración espiritualista y poética de la doctrina del "medio". La tierra, en tanto paisaje, hace al hombre, metiéndosele en el alma y en el ser a través de los ojos. Por eso es un estricto deber patriótico la reflexión lúcida sobre la emoción que en nosotros despierta el paisaje patrio: "La primera honda lección de patriotismo —afirma don Miguel— se recibe cuando se logra cobrar conciencia clara y arraigada del paisaje de la patria, después de haberlo hecho estado de conciencia, reflexionar sobre éste y elevarlo a idea."

Toda la vida de la patria, la pretérita y la venidera, se actualizaría en la emoción suscitada por su paisaje en quienes pueden y saben contemplarlo como paisaje propio. Eso siente en su alma don Miguel de Unamuno cuando se entrega a su quimera en la soledad del campo: "Nunca —nos dice— he sentido rebullir más ricamente dentro de mí a la patria, y con ella a sus hijos de todos los tiempos a quien la muerte dió vida más honda, como cuando me he dejado olvidar en medio de un monte de encinas o siquiera un soto de álamos." El pasado se actualiza en la entraña de recuerdos que, sin figura ya, hechos puro sentimiento, contiene la emoción del paisaje patrio. Y junto al pasado, el futuro en forma de esperanza: "Es sumergirse en el paisaje —añade Unamuno— lo que nos hace recobrar la fe en un dichoso porvenir de la patria. Viendo desde una cumbre de una de las sierras de Castilla desplegarse a mis pies, como alfombra en el cielo..., un vasto retazo del cuerpo de España, me surgía del corazón la confianza de que el sol que lo curte ha de alumbrar todavía grandes glorias y perdurables proezas."

Es fácil advertir lo ocurrido. Sola en la soledad del campo, lejos del tráfico mediocre y sucio de los hombres, sueña el alma poética de Unamuno. La tierra, hecha paisaje, trae a su espíritu la presencia viva de todos sus recuerdos y despierta todas sus personales esperanzas y anhelos, tal vez más éstos que aquéllas. Un ensueño de España alienta entonces en su alma, y en él se engarzan armoniosamente la tierra, el pasado que se aprendió en lecturas y el futuro entrevisto. Es la España posible y soñada que el hombre Unamuno llevó desde mozo dentro de sí.

El cuerpo físico de España se le ofrece como una "mano tendida al mar poniente". Una mano con sus cinco dedos en forma de ríos: Miño-pulgar, Duero-índice, Tajo-el del cora-

zón, Guadiana, Guadalquivir. Sobre esa mano sueña Unamuno, vive sus recuerdos, esperanzas y decires: "He procurado —escribe—, sin ser quiromántico a la gitana, leer sobre
las rayas de esta tierra que un día se cerrará sobre uno,
apuñalándolo." ¿Leerá cosa distinta de sus propios sueños?
"A este paisaje le da sentido y sentimiento humanos un paisanaje." Es su vieja tesis del paisaje por el hombre. ¿Y cómo
da, cómo puede dar el hombre sentido y sentimiento al
paisaje? Pronto nos ofrece Unamuno su respuesta: "Sueñan
aquí, sueñan la tierra en que viven y mueren, de que viven
y de que mueren, unos pobres hombres. Y lo que es más
íntimo, unos hombres pobres. Unos pobres hombres pobres."
Uno de ellos es él, Miguel de Unamuno. Puesto ante su tierra,
la ha soñado, y luego nos ha contado a los españoles —los
restantes pobres hombres pobres— el sueño de recuerdo y
esperanza que la visión de la tierra ha incitado en su alma.

Ved cómo Unamuno ha leído en la mano de la tierra ibérica. La tierra se ha hecho paisaje ante su mirada. Luego ha
"imaginado" éste paisaje, y el paisaje patrio ha formado
parte de su total ensueño de España. "Imaginar lo que
vemos —decía él— es arte y poesía." Dentro de esa España
imaginada, poética, el paisaje desempeña una compleja misión: presta sustentación física a los restantes elementos del
ensueño, el hombre y la historia; nutre de visiones los ojos
del que sobre él vive, y le ayuda a ser el hombre que debe
ser; incita en su alma emociones espirituales, las cuales,
analizadas con lucidez, enseñan al que las siente alguna de
las razones de su ser, le ponen en comunidad con sus antepasados y encienden su esperanza de hombre; recibe, en fin,
los sentimientos de la persona que le contempla y se eleva
a la condición de compañero y confidente suyo.

No es el paisaje un elemento aditivo del ensueño, sino
miembro vivo de éste, parte expresiva de su unidad esencial. Si las patrias son revelaciones de la ley de Dios, como
Unamuno piensa, se entiende bien que don Miguel, poeta, vea
poéticamente en el llano de Castilla la rugosa palma de una
mano que hacia Dios le levanta, o llame monoteístico al
paisaje que le ofrece a su mirada la ancha y seca infinitud
del campo castellano. "La tristeza de los campos —escribe
Unamuno, comentando a Antonio Machado—, ¿está en ellos
o en nosotros que los contemplamos? ¿No es acaso que todo
tiene un alma, y que esa alma pide liberación?" Tan agudamente se ve envuelto Unamuno por la viva compañía del
paisaje, que hasta llega a preguntarse si el paisaje mismo
tendrá un alma triste, capaz de entristecer al que le contempla.

Pero Unamuno no profesa un animismo mágico o pan-
teísta, aunque nos hable del alma de los campos. Él es

poeta, español y apasionado especulador de sus personales relaciones con el Dios del Cristianismo. La patria es para su alma revelación histórica y natural de la ley de Dios. "El Señor —dice una vez— juega con dos barajas: la de la naturaleza y la de la Historia. O la de la Historia Natural y la de la historia nacional o humana. ¿Cuál más divina?" En las pedrizas del Guadarrama y en los recuestos de la alta Castilla ve don Miguel los solitarios que Dios hace con la baraja de la naturaleza: "Nos enseña recreándonos —y nos recrea enseñándonos a ser hombres—, el contemplar la naturaleza como Historia y la Historia como naturaleza, el paisaje como lenguaje y el lenguaje como paisaje..., y el sentir cómo Dios, el Supremo Solitario y Hacedor, juega a sus solitarios con las dos barajas, la natural y la racional, barajustándolas y desbarajustándolas arreo." También la naturaleza es un sueño de Dios, como la Historia, y un paisaje la seña expresiva que Dios hace al alma del hombre a través de sus criaturas naturales. *"Invisibilia, per ea quae facta sunt, intellecta conspiciuntur"*, dijo San Pablo y repite a su poética manera Miguel de Unamuno, pobre hombre pobre. Con lo cual nos hace comprender a los españoles que tras él vivimos el sentido último de su cristiano sueño de España.

No es menos importante la función que la tierra de España cumple en el ensueño de *Azorín*. Una primera inspección de la obra azoriniana hará creer inadecuada la palabra "ensueño" para designar lo que *Azorín* dice ver en el paisaje de España. ¿Acaso no ha definido él con expresiones rigurosamente positivistas el sentido de su propia visión del paisaje? "La tenaz preocupación por el *hecho* y por el *medio* —escribe *Azorín* en 1922— hizo que la generación de 1898, al estudiar el medio y observar el hecho, hiciese surgir en el arte la realidad española. Puesto que el medio era España y el hecho era la sociedad española, viejas ciudades, paisajes, tipos, escenas interiores hubieron de ser estudiados minuciosa y perseverantemente." A la abstracta vaguedad y a la falta de fundamento en el hecho que distinguía a los maestros de la generación anterior —Campoamor o Núñez de Arce—, la nueva generación, ansiosa de realidad, habría opuesto "la observación minuciosa y exacta, el estudio del medio, el amor al hecho preciso y exacto".

La autodefinición de *Azorín* no puede ser más precisa y terminante. Él y sus camaradas de generación se habrían señalado por expresar literariamente, con exactitud positivista, la realidad misma de la tierra de España. ¿Es en verdad así? Los paisajes españoles con que *Azorín* minia tan delicadamente sus páginas, ¿son no más que minuciosos trasuntos verbales de la escueta realidad de nuestra tierra? No nos

dejemos seducir por esta primera apariencia. Una lectura
más profunda de *Azorín* nos hará ver que, también en su
obra, el paisaje español es elemento de un ensueño, el ensueño azoriniano de España.

A los setenta años de su vida recuerda *Azorín* una vez
más su repetida emoción de Castilla. Hállase en una vieja
ciudad castellana: "Estamos perplejos en el cuartito del
hotel, y pensamos que el paisaje puro que vamos a contemplar varía según la condición, la edad, el humor y la salud
del contemplador. Se nos viene a las mientes una frase de
Stendhal en su autobiografía, o sea en *Henri Brulard;* dice
el autor que un paisaje es para él "como el arco de un
violín, que hace sonar su espíritu". Va a sonar nuestra sensibilidad con el paisaje que ya está esperándonos. Pero ¡cuán
diverso son, según sea quien taña el sonoro instrumento!
El mismo pedazo de país es distinto contemplado por un
espectador o por otro. Tantos contempladores, tantos paisajes."

Este fragmento de *Azorín* completa y esclarece la parcial
verdad del texto anterior. Por exactas y minuciosas que sean
las descripciones de *Azorín,* esas descripciones no son foto-
gráficas, sino subjetivas, y expresan la personal vibración
de su autor ante la tierra de España. El alma de *Azorín,*
como la de Stendhal y la de todos los hombres capaces de
emoción estética, es un violín al que hace sonar el arco del
paisaje. Unos sonarán melodías ceñidas y exactas, así *Azorín*
y Stendhal; otros, rapsodas exaltadas y ardientes, tales Béc-
quer y Víctor Hugo; sea, empero, exacto o exaltado, el descriptor de paisajes da siempre en su descripción la vibración
de su personal sensibilidad ante ellos. Frente a la realidad
de un pinar, muchos dirán, metidos a paisajistas, que los
pinos son de color "verde intenso", mas cada uno dará un
matiz sentimental distinto a la misma expresión: el matiz
que a las palabras y a las oraciones aisladas prestan de
consuno su pertenencia al cuadro descriptivo total y la
intención que en éste ha puesto el escritor.

Azorín es un violín sonoro tañido por el paisaje de España. ¿Cuál será su sonido? La trama armónica del canto
está constituída, ya lo sabemos, por una descripción impresionista, minuciosa y exacta de la realidad terrenal de España: "Yo veo las llanuras dilatadas, inmensas, con una
lejanía de cielo radiante y la línea azul, tenuemente azul, de
una cordillera de montañas. Nada turba el silencio de la
llanada; tal vez en el horizonte aparece un pueblecillo, con
su campanario, con sus techumbres pardas. Una columna de
humo sube lentamente. En el campo se extinden, en un
anchuroso mosaico, los cuadros de trigales, de barbecho, de
eriazo. En la calma profunda del aire revolotea una picaza.

que luego se abate sobre un montoncillo de piedras, un majano, y salta de él para revolotear luego otro poco. Un camino, tortuoso y estrecho, se aleja serpenteando; tal vez las matricarias inclinan en los bordes sus botones de oro..." Pero la trama armónica no es el canto entero. Esa descripción minuciosa y ceñida es tan sólo el soporte de un sentimiento o, si se quiere, de un ensueño: el total sentimiento, el total ensueño de España que late dentro del alma exacta y transparente de *Azorín*. La descripción azoriniana del paisaje español —objetiva, precisa— es un cañamazo armónico entre cuyas mallas serpentea melódicamente el recuerdo de la España que fué —el personal recuerdo del español *Azorín*— y un ensueño de la España que podría ser.

El mismo *Azorín* nos lo ha dicho y ha hecho que nos lo digan sus personajes. Es paladina su confesión en su artículo *El paisaje de Castilla:* "A este pedazo de país asociamos ya la historia, toda la historia de Castilla, y la literatura, y el arte. Envuelve ya a este paisaje un ansia de espiritualidad que no tienen otros bellos paisajes. ¿En qué país, sin historia tan larga, podremos hallar un terruño impregnado de tan denso espíritu?" Otra vez, ante unos chopos solitarios, ve concentrarse en ellos "toda la melancolía de la llanura". ¿Por qué son melancólicos los chopos solitarios? Es la melancolía de *Azorín*, aparentemente, un sentimiento nacido de contemplar el puro paisaje, un paisaje en sí. Desconfiemos, no obstante, de tal apariencia, como antes hemos desconfiado del positivismo confesado por *Azorín*. La verdad es que el sentimiento nace de la historia acontecida sobre la tierra que el escritor mira y de la imagen que de esa historia hay en el alma del escritor. El paisaje es de Castilla, y esta precisión histórica es la que otorga al fragmento de naturaleza su densa melancolía. Una página después nos lo revela *Azorín:* "Allí están esos chopos..., y desde la lejanía remota de nuestros antecesores —místicos y guerreros que en esta Castilla nacieran— nos sentimos profunda y dolorosamente conmovidos. Castilla, en este momento, ha sido revelada para nosotros ante estos árboles modestos, mejor que con la magnificencia de sus monumentos gloriosos."

Las notas minuciosas y exactas que componen los paisajes azorinianos no forman un mosaico compacto. Son siempre notas aisladas, separadas por aéreas fisuras, a través de las cuales una emoción personal y un ensueño de España se levantan hasta la superficie misma de la descripción. Ese "denso espíritu" que, según *Azorín*, impregna el terruño de Castilla, no es sino su propio sentimiento y su propia idea de España. Una España soñada se levanta sobre la imagen literaria del paisaje real; la tierra española que ve *Azorín* es, como la que vió Unamuno, fundamento y contorno de un ensueño.

No debe pensarse, sin embargo, que la función del paisaje en la economía del ensueño azoriniano quede en ésta de ser fundamento y esponja de recuerdos. Los paisajes de *Azorín*, como los de Unamuno, poseen una entidad viva y operante. También el paisaje habría contribuído activamente a que el ensueño tenga su figura propia.

Azorín, fiel a su empeño de dar una interpretación positivista a su pensamiento y a su estética, nos hablará de la influencia del medio sobre el hombre. Recordad, junto a los ejemplos que en otro lugar aduje, el capítulo "El clima de Madrid", de su libro *Madrid*. "Si Cervantes hubiera nacido en Santiago de Compostela —se pregunta *Azorín*—, ¿cómo hubiera sido? ¿De qué manera hubiera escrito el *Quijote*? Fray Luis de León, manchego de nacimiento, salmanticense de elección, ¿qué giro hubiera dado y qué matices, naciendo en Sevilla, a su *Noche serena*?" Luego habla, muy serio, de Hipócrates, de Masdeu, del clima de Madrid y de las conclusiones "científicas" —seamos benévolos— de un doctor Cazenave y un doctor Hauser.

No deis mucho momento, os lo aconsejo, a las páginas serias y científicas de *Azorín*. No es *Azorín* hombre de ciencia, sino artista; y artística, poética, no científica, es su visión personal del mundo, aunque luego trate de apoyarla en Hipócrates y el doctor Cazenave. Cuando en los libros de *Azorín* habla el poeta, no es el paisaje un "medio natural", capaz de influir en la vida del hombre por la composición química de sus aguas o el poder actínico de sus radiaciones: es una criatura animada que envuelve al hombre y vive con él en mutuo intercambio de amores y esquiveces. "Las pasiones que nosotros creemos que sólo en el hombre alientan —escribe una vez—, alientan también en toda la naturaleza. Todo vive, ama, goza, sufre, perece." Describe *Azorín* minuciosamente la realidad, y dice luego que no importa la realidad, sino nuestro ensueño; habla con mucha seriedad del "hecho" y del "medio", ve a la naturaleza con ojos de naturalista, y la siente luego con espíritu de poeta romántico. "Nos sentíamos atraídos por el misterio...", afirma *Azorín*, mucho más verdaderamente que cuando se declara positivista, puesto a definir su propia generación.

Poética es —y romántica, si se quiere precisión mayor— la relación que el Antonio Azorín de *La voluntad* establece entre el Greco y el paisaje de Toledo, Santa Teresa y la tierra de Ávila, nuestra literatura y la llanura de Castilla; y no es menos romántica y menos ajena al positivismo la interpretación azoriniana del alma de Don Quijote a la vista de la tierra manchega de Argamasilla. "Ahora es cuando comprendemos —dice *Azorín*— cómo Alonso Quijano había de nacer en estas tierras, y cómo su espíritu, sin trabas, libre, había de volar frenético por las regiones del ensueño y de la quimera. ¿De qué manera no sentirnos aquí desligados de todo? ¿De qué manera no sentir que un algo misterioso, que un anhelo que no podemos explicar, que un ansia indefinida, inefable, surge en nuestro espíritu? Esta ansiedad, este anhelo, es la llanura gualda, bermeja, sin una altura, que se extiende bajo un cielo sin nubes, hasta tocar, en la inmensidad remota, con el telón azul de la montaña."

No, no son realidades naturales descritas con minucia los paisajes de España que ha visto *Azorín*. Sólo interpretando sus descripciones como fragmentos de un ensueño, de una España soñada, podremos entenderlas rectamente. La visión directa del paisaje real sufre en el alma del escritor una transfiguración poética. La tierra aparece, ciertamente, como pintada sobre un lienzo impresionista, pero la imagen literaria no queda agotada por su dimensión pictórica. No es sólo color y figura el campo de España en las páginas de *Azorín;* es también, y principalmente, cuerpo del ensueño azoriniano de España, quieto estanque de sus recuerdos y activo alfar del hombre español que ve y sueña el escritor. Estanque del pasado, alfar del pasado y del presente; crisol, también, de la esperanza. En el apartado próximo veremos cómo el paisaje de España es, dentro del ensueño de *Azorín,* prenda de la España que él espera.

También Antonio Machado canta y canta la tierra de España, y también la visión machadiana de la tierra española es una transfiguración lírica, soñadora, de su realidad objetiva. El arco del paisaje hiere el alma del poeta y arranca de ella sonidos diversos, según sea el paisaje y según esté templada la intimidad del espíritu sonoro. A veces será el sonido claro y radiante, como la cresta de una ola cortada por el sol:

> *¡Chopos del camino blanco, álamos de la ribera,*
> *espuma de la montaña*
> *ante la azul lejanía,*
> *sol del día, claro día!*
> *¡Hermosa tierra de España!;*

a veces suena discordante y ronco, como grito de dolor:

> *Y otra vez roca y roca, pedregales*
> *desnudos y pelados serrijones,*
> *la tierra de las águilas caudales,*
> *malezas y jarales,*
> *hierbas monteses, zarzas y cambrones.*

Canta el poeta las tierras altas y frías de Castilla, los llanos de la Mancha, los olivares de Baeza, los frescos naranjales del Guadalquivir. ¿Qué ve Machado en el diverso paisaje de España? ¿Ve tan sólo contornos y matices cromáticos capaces de incitar su sensibilidad lírica?

En el capítulo inicial de este libro expuse los distintos motivos que una lectura atenta puede descubrir en los paisajes de Antonio Machado. No he de repetir aquí lo allí dicho. Lo completaré, sí, haciendo ver que también en la obra de Machado es la tierra un elemento de su España soñada. En sus descripciones poéticas del campo castellano, en ellas, sobre todo, ha proyectado el poeta su personal idea y su sentimiento personal del pasado, del presente y del futuro de España. Recuerdos, impresiones y esperanzas se tejen sutilmente en la intimidad de cada adjetivo y en los senos de cada apóstrofe. La

Castilla visionaria y soñolienta

es a un tiempo la Castilla antigua de Don Quijote y de los místicos, y la Castilla presente a los ojos de Antonio Machado, amodorrada sobre la llanura, esa Castilla que el poeta no sabe si espera, duerme o sueña. Y cuando el verso se exalta y rompe en exclamaciones anhelantes

— *¡Castilla, España de los largos ríos*
   que el mar no ha visto y corre hacia los mares!—,

sugiere la infinita ambición de nuestra historia pasada, la Castilla que "siempre quiso demasiado", según la sentencia de Nietzsche, y luego, con el correr de los siglos, ha desembocado en un mar de olvido:

¿Acaso como tú y por siempre, Duero,
irá corriendo hacia la mar Castilla?

Hasta que el sentimiento de nuestra Historia rompe todo cendal y emerge, desnudo y directo, en la sobrehaz misma del poema:

... y esta alma mía
que está viendo pasar, bajo la frente,
de una España la inmensa galería,
cual pasa del ahogado en la agonía
todo su ayer, vertiginosamente!

Todo el pasado de España cruza por el alma de Antonio Machado cuando lee la *Castilla* de *Azorín* y rememora su propia visión de la tierra castellana. El vertiginoso desfile del pasado le hace recordar esa reminiscencia de la vida toda que.

según dicen, alcanza el alma de los agonizantes. Pero Machado no quiere agonizar. Entre los rumores campesinos y menestrales que pueblan la Castilla de *Azorín* percibe su oído poético el silbido de un tenuísimo viento de esperanza:

> *¡Oh tú, Azorín, escucha: España quiere*
> *surgir, brotar, toda una España empieza!*

Ganivet ve a la tierra de España mucho más como territorio que como paisaje. Es por su condición peninsular por lo que, según él, ha influído la tierra española en la configuración psicológica de sus habitantes y en la orientación ideal de su historia. No busquemos en la obra de Ángel Ganivet descripciones estéticas del campo de España. Mas no deja de ser curioso que traslade a su visión territorial de la tierra española todo cuanto sus camaradas de generación ponen en ella contemplándola como paisaje. El "espíritu territorial" de España es la clave con que él interpreta nuestro pasado, el instrumento de que se vale para soñarlo; es, también, la garantía de su esperanza en el porvenir, si los españoles se deciden un día a seguir fielmente lo que de ellos exige la condición peninsular de nuestra tierra. Mediante su personal idea del espíritu territorial es Ganivet tan fiel a la tierra como todos los hombres de su generación, y parejo intérprete de su significado dentro de una visión ideal de España.

Baroja, en cambio, es paisajista. Ha pintado Baroja cientos de paisajes de la tierra española, ha proclamado muchedumbre de veces su gusto por la contemplación del paisaje y blasona de haber contribuído, con sus compañeros de generación, al gusto por la tierra de España: "En España, y en nuestro tiempo... —dice una vez—, hemos influído en el gusto del paisaje y de la montaña, al menos en Madrid."

Las descripciones de Baroja suelen ser sobrias. Viendo su aparente sequedad y la tendencia del autor a mencionar ceñidamente los elementos sustantivos del paisaje; sabiendo, además, el entusiasmo de Baroja por los campeones de la llamada ciencia positiva, se sentiría uno tentado a ver en sus paisajes ejercicios de literatura positivista. Nada más erróneo. Bajo su aparente gusto por la objetividad, es Baroja, como se sabe, un romántico empedernido, un hombre sentimental y subjetivo. Así ve, en efecto, el paisaje. "El campo —ha escrito— es como un fondo al que hay que ir animando con las representaciones propias. El que tiene una vida interior intensa puede vivir en el campo..." Si es así, ¿qué representaciones propias han animado sus personales descripciones del campo de España?

En otro lugar creo haber mostrado cómo la visión barojiana de la tierra de España lleva impregnadas la idea y la

las culturas produzcan hombres. El cultivo del hombre es el fin de la civilización; el hombre es el supremo producto de la Humanidad, el hecho eterno de la Historia. ¡Qué hermosura ver surgir de los detritus de una civilización un hombre nuevo!" Y cada "hombre nuevo" es, antes nos lo ha dicho, "un escalón más en el penoso ascenso de la humanidad a la sobrehumanidad"; esto es, al estado de los hombres después de su recapitulación en Cristo.

Era necesaria esta digresión para advertir la gravedad y el sentido que en el pensamiento de Unamuno tiene el concepto del "hombre nuevo". En este suelo intelectual se implanta su idea —su ensueño, mejor— del español posible. Siente Unamuno que el mundo en que vive está en crisis: una civilización: la moderna, se desintegra, y de ella no quedará sino lo que en forma de cultura haya crecido en su seno. Los pasos de un hombre nuevo, capaz de edificar una nueva civilización y de crear una cultura nueva, resuenan sobre las calzadas que conducen a la ciudad en ruinas. Es un momento solemne y augural. Miguel de Unamuno, español, hombre entero y ciudadano de la ciudad vieja, profetiza y proclama la hora nueva. Entre esperanzado y temeroso augura el rostro incierto del hombre que llega. ¿Podrá ser español ese hombre? ¿Acaso no ha sido española la más alta criatura espiritual entre todas las que integran la *cultura* de la civilización que muere? Sí, es español, tiene que ser español ese hombre nuevo. Es —llamémosle con el nombre que le ha dado Miguel de Unamuno, augur y bautista suyo— *el hombre quijotizado.*

Entre los tantos que constituyen el haber histórico de la generación del 98 está el de haber convertido en mito español, en el más central de los mitos históricos españoles, la literaria figura de Don Quijote. Y el más señalado campeón de esta lid quijotesca ha sido, como todo el mundo sabe, "este donquijotesco don Miguel de Unamuno". Pero sobre el quijotismo de Unamuno y sobre su idea del hombre quijotizado conviene cierta precisión biográfica.

Hay dos períodos, visiblemente distintos entre sí, en el quijotismo de Unamuno: en el primero, el de su juventud, el quijotismo de Unamuno es el de Alonso Quijano, el de Don Quijote muerto; en el segundo período, iniciado por la primera edición de la *Vida de Don Quijote y Sancho* (1905), su quijotismo es el de Don Quijote de la Mancha, el de Don Quijote vivo. En aquél ha muerto el loco Don Quijote y vive el cuerdo Alonso Quijano el Bueno; en éste vive loco Don Quijote, y de su locura y para su locura vive.

La expresión más evidente y famosa del primer quijotismo —estentórea ya, a fuerza de ser evidente— es el grito de Unamuno en un artículo periodístico del año 1898: "¡Mue-

ra Don Quijote para que renazca Alonso Quijano el Bueno!
¡Muera Don Quijote!" Es nueva y sorprendente la estridencia del grito; no es nueva, sin embargo, su intención. Tres
años antes, en los ensayos que luego constituyeron el libro
En torno al casticismo, había expresado su autor, inequívoca y repetidamente, el pensamiento latente bajo aquel grito.

Son grandes artistas, según Unamuno, los que saben bu-
cear en las profundidades intrahistóricas, humanas, de su
vida y de su pueblo. "A este arte eterno —añade— pertenece nuestro Cervantes, que en el sublime final de su *Don
Quijote* señala a nuestra España, a la de hoy, el camino de
su regeneración en Alonso Quijano el Bueno; a ése pertenece, porque de puro español llegó a una como renuncia de
su españolismo, llegó al espíritu universal, al hombre que
duerme detrás de todos nosotros." Don Quijote el loco, símbolo de la aventura exterior a que se entregó nuestra casta
en sus siglos castizos, debe morir; y los españoles, cuerdos
ya, como el buen Alonso Quijano en el capítulo final del
Quijote, deben penetrar a través de sí mismos en la humanidad del tiempo en que viven, esto es, en el espíritu europeo,
ser hombres y europeos a fuerza de ahondar en la propia
españolidad; tal es la consigna histórica de Unamuno joven:
"Es ir a la muerte —decía— empeñarnos en distinguirnos
de los demás, en evitar o retardar nuestra absorción por el
espíritu general europeo moderno. Es menester que pueda
decirse que *verdaderamente se muere y verdaderamente está
cuerdo Alonso Quijano el Bueno;* que en esos *cuentos viejos*
que desentierran en nuestro pasado de aventuras y que *han
sido verdaderos en nuestro daño, los vuelva nuestra muerte
con ayuda del cielo en provecho nuestro."

Debe morir Alonso Quijano después de haber sido Don
Quijote, mas debe morir para renacer. ¿A qué nueva vida
debe renacer Alonso Quijano, tras su pasajera quijotización, su cordura y su muerte? En su ensayo *El caballero de
la triste figura* (1896) da Unamuno su respuesta: debe renacer a la vida que entonces se anuncia, vida de cooperación,
justicia e inteligencia, cuya incipiente belleza se percibe ya.
"Hay —dice— una belleza humana tradicional, más o menos
atlética, belleza expresiva de la bondad del animal humano,
del bárbaro luchador por la vida, del apenas disfrazado sal-
vaje, belleza de equilibrio muscular; y va por otra parte for-
mándose el concepto de otra belleza humana, reveladora del
hombre racional y social, resplandor de la inteligencia."
Hacerse europeo y adquirir la belleza que resplandece la
inteligencia debe ser la nueva aventura de Alonso Quijano
muerto y renacido.

Pronto cambia, sin embargo, el norte de la estimación
unamuniana. Al cuerdo, muerto y renacido Alonso Quijano

preferirá el Don Quijote vivo y loco. Apunta tenuemente el giro en *El caballero de la triste figura*, antes, incluso, de que fuese pronunciado el "¡Muera Don Quijote!"; cúmplese plenamente con la publicación de la *Vida de Don Quijote y Sancho*, en 1905. Pero ¿hubo, en verdad, un cambio en la orientación del quijotismo unamunesco? Miguel de Unamuno, testigo de sí mismo, afirma y sostiene que no. En 1911 decía en su ensayo *Sobre la tumba de Costa*, comentando las frases de este gran fraseador: "Sus frases eran frases y querían decir muchas veces lo contrario de lo que él quería decir. Tan falso fué aquello de la doble llave al sepulcro del Cid como fué falso el ¡muera Don Quijote! que lanzó otro impaciente." Y un año después esclarecía más aún el sentido de su aparente palinodia, en el capítulo final del libro *Del sentimiento trágico de la vida*: "En esa ridícula literatura (la regeneracionista) caímos casi todos los españoles, unos más y otros menos... Yo di un ¡muera Don Quijote!, y de esta blasfemia, que quería decir todo lo contrario que decía —así estábamos entonces— brotó mi *Vida de Don Quijote y Sancho* y mi culto al quijotismo como religión nacional." Aquel ¡muera Don Quijote! quería decir, por tanto ¡viva Don Quijote! ¿Puede entenderse esto? "Mostrad cómo", dirán, como decía el padre Astete, los lectores de Unamuno y los míos.

Declara Unamuno haber escrito su *Vida de Don Quijote y Sancho* para repensar el *Quijote* contra cervantistas y eruditos. Quería "rastrear allí nuestra filosofía, la peculiaridad del pensamiento, más aún, del espíritu español". "El pensamiento racional y filosófico no es en un pueblo —ha dicho Unamuno— más que como la espuma de la vida total del pensamiento, de la vida toda espiritual..." No transparecería en el *Quijote* nuestra españolidad castiza, superficial y transitoria, el casticismo histórico del siglo XVII, sino lo que en la intimidad misma del español hay de humano, su eterna y universal humanidad. Es el *Quijote*, según el pensamiento de Unamuno, el poso permanente de *cultura* que ha legado a nuestro espíritu la grande, heroica y fenecida *civilización* española. El ensueño de don Miguel adivina a Don Quijote en el hondón más auténtico de los españoles de este tiempo, aunque éstos no lo sepan, aunque se empeñen villanamente en desconocerle y en buscar el gobierno de "la medrosica, casera y encogida Antonia Quijana". Y de esta adivinación unamunesca nace el sentimiento de su propia misión: desvelar el arcano y potencial quijotismo de los españoles, predicar la religión del quijotismo e inquietar a sus compatriotas y a los hombres todos para que, luego de haberse conmovido con la predicación, den actualidad histórica y visible al hombre posible y necesario, al arquetipo del hombre nuevo, al hombre quijotizado.

Cervantes —"un genio temporero", le dice Unamuno, mucho más quijotista que cervantista— sacó a Don Quijote "del alma de su pueblo y del alma de la humanidad toda". Es Don Quijote nuestro héroe, y desde que del alma de Cervantes salió al mundo opera sobre nosotros y sobre todos los hombres; por tanto, concluye Unamuno, existe: "El héroe legendario y el novelesco son, como el histórico, individualización del alma de un pueblo; y como quiera que obran, existen. Del alma castellana brotó Don Quijote, vivo como ella." Don Quijote existe, está vivo, ejerce una influencia intrahistórica sobre los españoles todos; pertenece, en suma, a lo más hondo y verdadero de nuestra tradición eterna. Y si el ideal de un pueblo es, como afirma Unamuno, "la tradición eterna reflejada en el futuro", ¿podrá no ser quijotesco el ideal de los españoles? ¿Y no será ese ideal una de las piedras fundamentales de la ciudad futura? "¿Y qué ha dejado Don Quijote?, diréis. Y os diré —responde don Miguel— que se ha dejado a sí mismo... Don Quijote se convirtió. Sí, para morir, el pobre. Pero el otro, el real, el que se quedó y vive entre nosotros alentándonos con su aliento, ése no se convirtió..., ése no debe morir."

Del aliento con que ese Don Quijote alienta a los españoles debe salir el hombre quijotizado. ¿Cómo puede ser, cómo será este español quijotesco que sueña don Miguel de Unamuno? Mostraré sucesivamente la figura y el sentimiento de su vida, siguiendo fielmente los textos de su inventor.

Será, desde luego, un luchador triste y grave; "mas no será la suya tristeza quejumbrosa y plañidera..., sino tristeza de luchador resignado a su suerte, de los que buscan quebrar el azote del Señor besándole la mano". Será serio, pero con seriedad "levantada sobre lo alegre y lo triste, que en ella se confunden, no infantil optimismo ni pesimismo senil, sino tristeza henchida de robusta resignación y simplicidad de vida". No será muy optimista respecto a los logros de su acción en este mundo, mas no será ni podrá ser pesimista: "no se rinde porque no es pesimista y pelea. No es pesimista, porque el pesimismo es hijo de la vanidad, es cosa de moda, puro *snobismo*, y Don Quijote no es ni vano, ni vanidoso, ni moderno..."

No temerá al ridículo. Antes lo buscará, como su héroe y modelo, cuando encajó en su morrión aquella media celada; porque si con ella se inmortalizó Don Quijote, en empresas que los necios tendrán por ridículas ha de hallar su inmortalidad el hombre quijotizado: "Hay que saber ponerse en ridículo, y no sólo ante los demás, sino ante nosotros mismos. Y más ahora en que tanto se charla de la conciencia de nuestro atraso respecto a los demás pueblos cultos... El más alto heroísmo para un individuo, como para un pueblo, es saber afrontar el ridículo; es, mejor aún, saber ponerse en ridículo y no acobardarse de él... Hay que buscar, tras de las huellas de Don Quijote, la burla, porque son los burladores los que mueren cómicamente, y Dios se ríe luego de ellos, y es para los burlados la tragedia, la parte noble."

Por su filiación, el hombre quijotizado que sueña Unamuno es muy poco helénico. Es más bien latino, africano, como Séneca y como Tertuliano, que fué algo así como un Quijote del pensamiento cristiano de la segunda centuria; y aunque históricamente emerge del mundo moderno, su espíritu será mucho más medieval que postrenacentista, si en verdad ha de parecerse a su señor Don Quijote. El quijotismo de Don Quijote no fué "sino lo más desesperado de la lucha de la Edad Media contra el Renacimiento, que salió de ella"; de modo análogo, el quijotismo del español quijotizado "habrá atravesado, a la fuerza, por el Renacimiento, la Reforma y la Revolución, aprendiendo, sí, de ella, pero sin dejarse tocar el alma, conservando la herencia espiritual de aquellos tiempos que llaman caliginosos".

Así es la figura del hombre que ventea o sueña el augur Miguel de Unamuno: triste, grave, no pesimista, luchador resignado, impávido ante el ridículo, hombre de voluntad, más espiritual que racional, poco griego y muy hijo del medievo. En la misma figura de su alma lleva impreso el sentido de su vida; porque su vida está hecha para el combate, ordenada a la lucha.

El hombre quijotizado empeñará su existencia en dos empresas, una tocante a la vida y atañedera la otra a la muerte, o a la inmortalidad allende la muerte, para decirlo con entera precisión. En la primera luchará apasionadamente —porque sólo los apasionados llevan a cabo obras verdaderas y fecundas— a favor de la justicia y la verdad. Lucha, y ¿cómo? "¿Cómo? —responde Unamuno—. ¿Tropezáis con uno que miente?; gritarle a la cara: ¡mentira!, y ¡adelante! ¿Tropezáis con uno que roba?, gritarle: ¡ladrón!, y ¡adelante! ¿Tropezáis con uno que dice tonterías, a quien oye toda una muchedumbre con la boca abierta?, gritarles: ¡estúpidos!, y ¡adelante! ¡Adelante siempre!" Así procederá el hombre quijotizado, con la seguridad de que, en acabando una vez con un embustero o con un ladrón, se habrán acabado el embuste y el ladronicio para siempre. Así proseguirá, insaciable, febril, acongojado por "una sed de océanos insondables y sin riberas, un hambre de universos y la morriña de la eternidad".

Morriña de eternidad. Ésa es la raíz última del quijotismo y el más secreto motor de todos los peregrinantes en busca

del sepulcro de Don Quijote. No tendría sentido alguno la
empresa del hombre quijotizado tocante a la vida, a esta
vida, si él no sintiese como hondo imperativo la que atañe
a la muerte y a la inmortalidad. Por su propia inmortalidad
lucha el hombre quijotizado; no para que Dios le enseñe la
verdad de las cosas, ni su belleza, ni asegure la moralidad
con penas y castigos, "sino para que le salve, para que no le
deje morir del todo". ¿Qué le importa vivir como sea, en el
ridículo tal vez, si así se inmortaliza? Mas no sólo por su
propia inmortalidad lucha. Lucha también por edificar una
civilización inédita y soñada, en que la pasión por la inmortalidad se encienda dentro del pecho de los hombres: "Como
no es pesimista, como cree en la vida eterna, tiene que pelear arremetiendo contra la ortodoxia inquisitorial científica
moderna, por traer una nueva e imposible Edad Media, dua-
lística, contradictoria, apasionada."

Será su sabiduría de fe y de inmortalidad, no de razón
y de vida. Ésa debe ser la filosofía del hombre quijotizado;
ésa fué la filosofía de Don Quijote y de Dulcinea, "la de no
morir, la de creer, la de crear la verdad. Y esta filosofía ni
se aprende en cátedras, ni se expone por lógica inductiva
ni deductiva, ni surge de silogismos, ni de laboratorios, sino
del corazón". Más que un saber en sentido estricto, esa filosofía será la expresión de la lucha en que consiste la vida
misma del hombre quijotizado: la lucha "entre lo que el
mundo es, según la razón de la ciencia nos lo muestra, y lo
que queremos que sea, según la fe de nuestra religión nos lo
dice". Hará nuestro hombre su filosofía "cultivando la voluntad, convenciéndose de que la fe es obra de la voluntad
y que la fe crea su objeto, así lo crea..." Sabiendo querer
así creará un nuevo realismo, activista y operativo, "el realismo que saca de las hazañas las facciones, que procede de
dentro a fuera, centrífugo volitivo, el que convierte los molinos en gigantes, no más insano que el que hace de los
gigantes molinos..."; y no se dirá idealista al que así piensa
y obra, sino espiritualista, porque no pelea por ideas, sino
por espíritus.

Tal debe ser la sabiduría del hombre quijotizado. Y si en
el futuro no hay españoles de este temple, si se dejase de
sentir entre nosotros este quijotesco anhelo de inmortalidad,
España acabaría de existir y "los españoles caerían como
esclavos de cualquier otro pueblo que los explotaría y es-
carnecería".

Por los años en que Unamuno comenzó a profetizar al
hombre nuevo hablan los pedantes y empiezan a hablar los
filisteos del superhombre. Unamuno, español y cristiano, da
al superhombre nietzscheano una replica quijotesca e interpreta cristianamente, según su concepción de la Historia, la

existencia del hombre que acaba de soñar: "Ese hombre futuro —dice—, ese sobrehombre de que habláis, ¿es otra cosa que el perfecto cristiano que, como mariposa futura, duerme en las cristianas larvas o crisálidas de hoy?"

Pero ¿podrá tener realidad en este mundo visible el sueño quijotesco de un perfecto cristiano? El hombre nuevo, el hombre que Unamuno está sintiendo llegar ¿será la encarnación del ideal soñado o quedará en ser copia miserable suya? En verdad, tal perfección no es de este mundo, y así lo siente, con un levísimo dejo de cazurrería realista y sanchopancina, el quijotesco don Miguel: "Nuestro Don Quijote, el redivivo, el interior, el conciente de su propia comicidad, no cree que triunfen sus doctrinas en este mundo, porque no son de él. Y es mejor que no triunfen", concluye. "Este ideal —había dicho años antes, hablando del hombre nuevo— no se cumplirá, será eternamente futuro, para mejor conservar su idealidad preciosa, que es la que nos vivifica...; pero así como Cristo vino, y viene al alma de cada uno de los que en Él con verdadera fe creen, así reinará el hombre futuro en el alma de cada uno de sus fieles; viviremos así en el porvenir, y de tanta labor íntima quedará fecunda huella en la vida cotidiana." No de otro modo vive el hombre quijotizado en el alma de don Miguel de Unamuno y en la de todos los que con él salgan a descubrir y conquistar el sepulcro de Don Quijote. En ellos y para ellos será realidad verdadera el hermoso sueño de ese hombre mítico; porque la máxima oculta del quijotismo reza así, según su inventor y maestro: "Es hermoso, luego es verdad."

El hombre quijotizado reinará siempre en el porvenir, y desde allí vivificará todos los presentes, el de hoy y los futuros. En el último apartado de este capítulo expondré el pensamiento unamuniano acerca de esta vivificación; o, si se prefieren las palabras científicas a las poéticas, la significación histórica que Unamuno atribuía al mito, siempre futuro, del hombre quijotizado. Quede también para entonces la tarea de mostrar qué relación existe entre los dos sucesivos quijotismos del quijotizado don Miguel. Y ahora, sigamos con el ensueño de los demás soñadores.

Ninguno de los restantes miembros del grupo del 98 ha hecho del español que todos sueñan una pintura tan acabada y compleja como la unamunesca. En la obra de todos ellos hay, sin embargo, datos suficientes para diseñar, aunque sea en tenuísimo esbozo, la línea de ese ensueño. Trataré de lograrlo.

Ángel Ganivet vislumbra un español posible y prometedor a través de los rasgos en que se expresa la peculiaridad psicológica del español real. Las cualidades que hoy son causa

de desmayo pueden ser mañana motivo de lozanía, si se
sabe encauzar su operación con voluntad e inteligencia. Por
ejemplo, nuestro individualismo: "El individualismo indisci-
plinado que hoy nos debilita y nos impide levantar cabeza
—dice Ganivet— ha de ser algún día individualismo interno
y creador y ha de conducirnos a nuestro gran triunfo ideal.
Tenemos lo principal: el hombre, el tipo; nos falta sólo deci-
dirle a que ponga manos en la obra." Otro tanto piensa
Ganivet acerca de nuestra incapacidad para el dominio técnico de la naturaleza. Esta incapacidad nuestra es y será
rémora desventajosa mientras nos empeñemos en copiar sin
discernimiento actividades para las que no servimos; será,
en cambio, arma de triunfo si nos decidimos resueltamente
a emplear lo que Ganivet llama "nuestras aptitudes naturales para la creación ideal". Y así con las restantes notas que
nos singularizan.

Este tipo humano ideal que Ganivet espera ver realizado
en el español del futuro no sería sino la encarnación de Don
Quijote, nuestra idea ejemplar, en carne histórica y mortal.
También Ganivet es quijotista. Lo que fué para los griegos
Ulises, tipo ideal en que se resumían todas sus cualidades,
eso es Don Quijote para los españoles, dice Ganivet. Y si el
español posible y soñado es trasunto histórico de nuestro tipo
ideal y resultado de nuestro empeño por ser españoles auténticos, ese español habrá de ser, forzosamente, un hombre
quijotizado o quijotesco. En la quijotización de España ve
Ganivet nuestra única gloria posible en el futuro, nuestra
gloria máxima: "Sancho Panza, después de aprender a leer
y escribir, podría ser Robinsón y reconstruir nuestra civilización material; y Robinsón, en caso de apuro, aplacaría
su aire de superioridad y se avendría a ser escudero de Don
Quijote."

El sueño de un posible quijotismo de España pone en
evidencia la semejanza que existió entre las almas de Unamuno y Ganivet. No caigamos, empero, en el error de iden-
tificar plenamente los dos quijotismos. Hay entre ellos una
secreta diferencia de calado, la misma que antes hemos
percibido entre el interiorismo de Ganivet y el de Unamuno.
El de Ganivet es un quijotismo *castizo;* el método de Ganivet, si cabe hablar así, consiste en depurar los rasgos peculiares del tipo humano a que puede referirse el español
real y en imaginar sus posibles obras si cambiase la meta
de su actividad y fuese mayor su ahinco en desplegarla.
El quijotismo de Unamuno es algo diferente. Es un quijotismo *humano,* y su método consiste en trascender antropoló-
gica y hasta teológicamente las cualidades humanas que
Unamuno ve o inventa en el mito de Don Quijote. Con otras
palabras: el quijotismo de Ganivet es la posible voz diferen-

cial de España en un futuro concierto de las naciones; el hombre quijotizado de Unamuno es un posible hombre nuevo, un modo de ser hombre, conjeturado, sí, *desde* la españolidad, pero ofrecido como ideal o arquetipo a todos los hombres del futuro. Dos modos distintos de un mismo soñar.

También *Azorín* ha visto en la figura de Don Quijote su propio arquetipo y el espejo de España: "Nuestra vida —se pregunta en Madrid, poco antes de iniciar su viaje quijotesco— ¿no es como la del buen caballero andante que nació en uno de estos pueblos manchegos? Tal vez nuestro vivir, como el de don Alonso Quijano el Bueno, es un combate inacabable, sin premio, por ideales que no veremos realizados... Yo amo esa gran figura dolorosa que es nuestro símbolo y nuestro espejo."

Un día en que paseaban Antonio Azorín y Sarrió junto al mar de Alicante, se acerca a ellos un señor moreno y enjuto, y dice, estrechando la mano de Antonio Azorín: "Yo sé quién es usted... Es uno de los hombres del porvenir..." ¿Cómo es Antonio Azorín, cómo serán los hombres del porvenir? El propio Antonio Azorín nos lo dice: "Nosotros, como el hidalgo manchego, tenemos algo de soñadores; una ilusión nos vivifica. Vivimos pobres...; vemos aupados por las multitudes a hombres fatuos, mientras nosotros, que damos a la Humanidad lo más preciado, la belleza, permanecemos desamparados... Y un día, en nuestra soledad y en nuestra pobreza, un desconocido se acerca a nosotros y nos estrecha con entusiasmo la mano. Y entonces nos creemos felices y consideramos compensados con este minuto de satisfacción nuestros largos trabajos... Por eso este apretón de manos ha puesto en mí tanta ufanía como en Alonso Quijano la liberación de los galeotes o la conquista del yelmo."

Azorín interpreta a su propia vida como una aventura quijotesca. Obra vivificado por una ilusión; combate inacabablemente, sin premio, por un ideal que no ha de ver realizado; da sin recibir; ha creído deshacer un entuerto, y ve luego cómo Juan Haldudo sigue golpeando a su fámulo. "Esta ironía honda y desconsoladora tienen todas las cosas de la vida...", dice el comentario de *Azorín*. Tan quijotesco ve *Azorín* su propio vivir, que hasta en la línea de su autobiografía se asemejaría a los dos quijotizados de la obra cervantina, Alonso Quijano y Tomás Rueda. "Tomás Rueda equivale a Alonso Quijano —dice *Azorín*—. Los dos personajes viven en lo irreal. Los dos acaban, melancólicamente, por volver a lo cotidiano." ¿Y él? ¿Y *Azorín*? Después de su aventura, *Azorín* vuelve a contemplar lo cotidiano desde un íntimo y resignado ensimismamiento: "Si somos discretos, si la experiencia no ha pasado en balde sobre nosotros —aconseja en el prólogo de su *España*—, una sola actitud

mental adoptaremos para el resto de nuestros días. Nos re-
cogeremos sobre nosotros mismos; confiaremos en los demás
menos que en nosotros; bajo apariencias de afabilidad, des-
deñaremos a muchas gentes, miraremos con profundo respeto el misterio de la vida; comprenderemos los extravíos
ajenos; y tendremos conformidad y nos resignaremos, en
suma, sin tensión de espíritu, sin gesto trágico, ante lo
irremediable."

Tal es el quijotismo de *Azorín*, según él mismo lo interpreta. Diríase que *Azorín* ha cumplido la consigna del primer
quijotismo de Unamuno. Es un Alonso Quijano que ha vuelto
a su casa cuando aún había sol en las bardas y, ya en ella,
considera con mansa cordura y un adarme de nostalgia su
antigua vida andante. Hasta en el modo de ser hijo de su
medio se parecería a su modelo. De contemplar el paisaje
manchego habría nacido la loca voluntad de Don Quijote;
en la llanura manchega ha vivido él, educado en Yecla,
deambulador de los caminos quijotescos y afincado luego en
Madrid, donde entran algunas almas bajo la influencia del
medio, según *Azorín*, en un desasosiego doloroso.

"Es usted uno de los hombres del porvenir", ha dicho a
Antonio Azorín el señor moreno y enjuto de Alicante. ¿Este
que vemos resignado, comprensivo, y, bajo su aparente afabilidad, hondamente desdeñoso? *Azorín* ha visto así a su
propio espíritu cuando él franqueaba los umbrales de su primera madurez. No es eso, sin embargo, lo que quiere y
espera de su raza. Ve en el español la posibilidad de un
hombre más vivo y operante, más enérgico, más lanzado a
la creación: "Yo veo —escribe entonces— esta fuerza, esta
energía íntima de la raza, esta despreocupación, esta indiferencia, este altivo desdén, este rapto súbito por lo heroico..."
Desde su personal resignación quijánica espera o sueña *Azorín* el rapto quijotesco de sus españoles siempre dispuestos
a él.

Me imagino cómo ha soñado *Azorín* al español de su esperanza. Tres cualidades brillarán en su alma: la gravedad
castellana, la afirmación de la vida y la avidez de conocer
y comprender.

Sin gravedad castellana no puede haber español auténtico.
Es un sentido de la vida antiguo y a la vez moderno. "Sentido perdurable y noble", dice *Azorín*. ¿En qué consiste la
gravedad castellana, tal como *Azorín* la entiende? En no
pocas cosas. Por lo pronto, en una permanente disposición
del ánimo para discernir serenamente "lo adjetivo y lo sustancial, lo efímero y lo permanente, lo provechoso y lo des-
deñable". A la gravedad castellana pertenece también el conjunto de virtudes que distinguen al hidalgo. "Ese hidalgo
—dice *Azorín* del que conoce en Toledo Lazarillo de Tor-

han despertado. De ahí pasan, como resultado de una induc-
ción causal y estimativa, a mirar con agrura nuestra historia del siglo XVII y, en menor medida, la del XVI. Aman, por
otra parte, a España y quieren afirmarla, así en el pasado
como en el porvenir. En lo que atañe al porvenir, soñarán
una utopía y proyectarán en un futuro indefinido eso que
pocos años más tarde llamará Ortega "la gema iridiscente
de la España que pudo ser". No tardaremos en ver los des-
tellos de esa gema. En lo que al pasado atañe, sentirán des-
lizarse sus preferencias hacia una España ya inequívocamen-
te española y ajena a la vez a nuestra gran aventura histórica. Esa España no podía ser sino la Castilla primitiva,
porque sólo hay un modo, y no seguro, de ser ajeno a los
sucesos históricos: haber existido antes que ellos.

La historia de nuestro siglo XIX —la historia relatada,
quiero decir— apenas pasa de ser una polémica verbal o
armada entre unos españoles que se llaman a sí mismos tradicionalistas y otros españoles que quieren cambiarlo casi
todo y se llaman progresistas. Los tradicionalistas, encasti-
llados en la tradición de nuestro siglo XVII —la tradición "castiza"—, no saben, no quieren o no pueden ser históricamente
actuales. Los progresistas, negadores de toda o casi toda
nuestra tradición, postulan un mimetismo a ultranza —poco
importa a este respecto que el modelo sea Francia, Inglaterra
o Alemania— y no saben, no quieren o no pueden ser históricamente españoles. Frente a unos y a otros, los hombres
del 98, cada uno a su modo y con precisión diversa, inven-
tan un nuevo tradicionalismo, el *tradicionalismo primitivo* o
medieval. A la tradición de Calderón opondrán la tradición
de Berceo y de Jorge Manrique; a la épica moderna, el Romancero; a Francisco de Rojas, el Arcipreste de Hita.

Todos los escritores del 98 sueñan, en suma, una España
originaria y pura, y en ella apoyan la ineludible "necesidad
de pasado" que tiene el hombre —ser histórico y, en consecuencia, tradicional— por imperativo de su condición ontológica. Trátase del sueño hegeliano de un reino de la libertad
anterior al de la historia, y no es un azar que Unamuno iden-
tifique con ese hipotético reino su visión de la Castilla primitiva. A todos ellos se les puede decir lo que al Guadalquivir decía Antonio Machado, viéndole fangoso y lento en Sanlúcar:

> Un borbollón de agua clara,
> debajo de un pino verde,
> eras tú, ¡qué bien sonabas!
> Como yo, cerca del mar,
> río de barro salobre,
> ¿sueñas con tu manantial?

Castilla, la Castilla primitiva de Berceo y el Arcipreste, es para los soñadores del 98 el manantial de la historia de España: un borbollón de agua clara que cantaba con la pureza y la alegría de la aurora. Esa Castilla virginal y auténtica es la que secretamente buscan los hombres del 98 cuando, por apartarse de la ampulosidad en torno, prefieren la sencillez y la espontaneidad de los primitivos.

En Berceo, en el Arcipreste, en Jorge Manrique estima *Azorín* —sutilmente nos lo ha dicho— su *espontaneidad*. Esta precisión de *Azorín* es una clave para entender la situación de su espíritu. Llamamos espontaneidad a la libre manifestación de las tendencias naturales de un ser viviente. Llama *Azorín* espontáneos a los escritores primitivos porque, a su juicio, en su obra literaria se habrían manifestado sin trabas, libremente, las tendencias naturales de la raza. Luego, cuando vinieron las empresas exteriores del siglo XVI, la espontaneidad y la sencillez primitivas habrían quedado ocultas, sofocadas casi por una densa envoltura de énfasis, ampulosidad, conceptismo y ademanes teatralescos.

Azorín, y con él todos los escritores del 98, ven en su mocedad la historia de España posterior a los Reyes Católicos como un bosque de sucesos aparatosos o grandes hechos, bajo cuyo suelo fluye la vena delicada de nuestra primitiva autenticidad. De dos modos se haría expresa y perceptible esta vena soterraña. De una parte, empapando el mundo intrahistórico o de los pequeños hechos. Por otra, aflorando hasta la superficie en hontanares dispersos: tal artista, tal obra, tal hazaña, tal hombre de acción.

Hontanares esporádicos de nuestra autenticidad primitiva habrían sido, para los escritores del 98, fray Luis de León, San Juan de la Cruz, el *Quijote*, el Greco, Zurbarán, Churriguera, el Dos de Mayo, Goya, Larra. En algunos de ellos —fray Luis, por ejemplo— mana con suavidad la linfa preciosa y oculta de nuestra originaria autenticidad espiritual; en otros —así en Larra, el hombre del siglo XIX que mejor encarna el espíritu castellano, según sentencia de *Azorín*— ha de abrirse paso a través del suelo histórico con desasosegada turbulencia, y de ahí vendría el aire "triste, errabundo, tormentoso, trágico" de su manifestación. No son ajenos a esta visión de la historia de España los primeros intentos de *Azorín* por interpretar el sentido histórico de su generación. Las palabras de *Azorín* en el homenaje que tributó a Larra el naciente grupo del 98 y la conversación acerca de Larra entre Enrique Olaiz (Baroja) y Antonio Azorín (Martínez Ruiz) —recuérdese el contenido de *La voluntad*— tienen detrás, muy visiblemente, el modo de entender nuestra historia que antes expuse.

Con la primera madurez de *Azorín* cambiará no poco el resultado de su hermenéutica. Es el momento en que el sociólogo regeneracionista se hace lírico, ha dicho Dolores Franco, muy perspicazmente, en una breve semblanza del gran escritor. *Azorín* fué siempre mucho más artista que hombre de motín; y aunque en los senos de su alma queda siempre un rescoldo del antiguo fuego reformador, su condición de esteta le irá acercando con nuevo saber y nuevo amor a muchas de las cosas que antes vituperó:

> ¡*Admirable* Azorín, *el reaccionario*
> *por asco de la greña jacobina!,*

le dice por entonces la sutil penetración poética de Antonio Machado. Lo menos importante es que *Azorín* sea diputado maurista o ensalce luego a La Cierva. Importa, en cambio, porque esto afecta a la personalidad literaria de *Azorín,* es decir, a su vocación más íntima y propia, ver cómo inicia su delicada comprensión estética e histórica de los hombres, las obras y los valores que llenan nuestros siglos xvi y xvii. Importa el hecho e importa el modo.

El hecho alborea después de 1905 y culmina con la publicación de *Una hora de España,* su discurso de ingreso en la Academia Española. En *Los pueblos* (1905) es ya visible una nueva y finísima comprensión de la España clásica. Recordad cómo evoca la figura del hidalgo toledano. Álzase del lecho a las seis, a las seis y media, a las siete; vístese calzas y jubón; zarandea el sayo; y por fin, toma en su mano la vieja y limpia espada: "Esta espada —comenta *Azorín*— es toda España. Esta espada es toda el alma de la raza; esta espada nos enseña la entereza, el valor, la dignidad, el desdén por lo pequeño, el sufrimiento silencioso, altanero." Luego de oír misa, pasea nuestro hidalgo por las calles de Toledo y saluda a unas tapadas que pasean ante la fronda. *Azorín* ha recogido su gesto: "¿No habéis visto en cierto lienzo de Velázquez —*La fuente de los tritones*— la manera con que un galán se inclina ante una dama? Este gesto supremo, rendido y altivo al mismo tiempo, sobrio, sin extremosidad violenta, sin la puntita de afectación francesa, discreto, elegante, ligero; este gesto único, maravilloso, sólo lo ha tenido España; ... ese gesto es Girón, Infantado, Lerma, Uceda, Alba, Villamediana...".

El nuevo camino llega hasta la cima de *Una hora de España.* Todos los elementos históricos que integraron la España de Felipe II —hombres, modos de vivir, obras humanas— son amorosa y delicadamente comprendidos por el evocador *Azorín.* Afirmará entonces, como Unamuno y Baroja, la pe-

culiaridad incomparable de España: "¿Podrá nadie afirmar
que el ideal de inteligencia es superior al ideal de virtud?
Absurdo es incriminar a España su infecundidad científica;
su camino era otro. Y candidez —o excesiva nobleza— en los
defensores de España es ir a situarse para sus defensas en
el mismo terreno en que los partidarios del intelectualismo
han querido plantear el problema." Negará también, como
Unamuno, la idea de nuestra pasada decadencia, "la famosa
decadencia": "No ha existido tal decadencia. ¿Cuándo se la
quiere suponer existente? Se la supone precisamente en el
tiempo mismo en que España descubre un mundo y lo puebla;
en el tiempo mismo en que veinte naciones nuevas, de raza
española, de habla española, pueblan un continente." Procla-
mará, en fin, con orgullo, la índole y la prestancia del europeísmo español: "No teníamos, en ningún momento, que
aprender nada de Europa. No necesitábamos para nada de
Europa. Europa éramos nosotros y no los demás pueblos; o
por lo menos lo éramos tanto nosotros —y lo seguimos siendo— como las demás naciones. Nuestro ideal era tan elevado
y legítimo como el ideal de los demás países europeos. Es
falso que Descartes sea superior a Santa Teresa y Kant a
San Juan de la Cruz."

Ha comenzado *Azorín* definiendo con intención peyorativa
la peculiaridad castiza de España: es la etapa del europeísmo
como remedio. Llega a la plena madurez de su espíritu y de
su obra —1925, cincuenta y dos años, *Una hora de España*—
blasonando orgullosamente de esa singularidad nuestra y
proclamando a los cuatro vientos el prestante y exclusivo
europeísmo de la cultura española. Es la hora del mediodía
azoriniano, el momento de su justo medio. Un paso más
y *Azorín* caerá —es el riesgo del casticismo como principio
y un peligro propicio a toda la generación del 98— en una
afirmación entre altiva y resignada de nuestro africanismo.
En el africanismo cae Silvino Poveda, el alicantino refugiado
en París, última de las encarnaciones literarias de *Azorín*.
"El verdadero europeísmo —escribe *Azorín*— semejábale al
presente que cada nación tuviese su cariz particular e inconfundible... Además, el espíritu europeo lo reputaba por una
engañifa..." Y ¿cuál es el cariz particular e inconfundible
de España? *Azorín* se pone dentro del alma de Silvino Poveda y contesta con una grave interrogación: "Pero España,
¿es África o Europa? Si España era África ¿por qué habíase
de atribuir un concepto denigrativo a tal semejanza? ¿Es que
podía justificarse el menosprecio de África? Silvino Poveda,
estudiándose a sí mismo, se sentía africano... Era africano..." Esta autodefinición, y el africanismo de España que
comporta, representan el punto en que el mundo del ensueño
ha dejado de ser séptimo cielo, utópica tierra de evasión,

y se ha convertido en cáscara. ¿Será éste el término inexorable de todos los sueños?

Dije antes que en el cambio de postura de *Azorín* frente a nuestros siglos XVI y XVII —de la repulsa agria a la comprensión delicada y amorosa— importaban el hecho y el modo. Hemos visto el hecho. ¿Qué decir ahora respecto al modo? Ese cambio de *Azorín* ¿es —permítaseme usar esta palabra solemne y excesiva— una "conversión", una mudanza radical en el punto de vista desde el que se juzga? En mi opinión, no. No se trata de un cambio en el punto de vista, sino de una considerable ampliación de la tierra que desde él se ve. En todo momento ha creído *Azorín* que la autenticidad del espíritu español originario se expresaba en el mundo de los pequeños hechos que componen la trama sutil de la vida cotidiana. Pues bien; lo que ha hecho *Azorín* para comprender amorosa y españolamente la vida de nuestros siglos XVI y XVII ha sido, usando su propia terminología, disgregar los grandes hechos en una finísima urdimbre de menudos hechos. Cuanto antes expuse acerca de la técnica historiográfica de *Azorín* prueba suficientemente este aserto mío; y tal vez esa técnica no sea sino el resultado a que llegó el escritor *Azorín*, español y devoto del acontecer mínimo y cotidiano, cuando sintió en su espíritu la necesidad de comprender mejor los dos siglos mayores de nuestra historia.

Osaré una comparanza. Menéndez Pelayo, católico, español, y por entrambas razones hostil contra el mundo moderno, llega a comprender en su madurez esos vituperados siglos modernos entendiendo católicamente la porción de verdad y de bien que en ellos encuentra cuando los estudia. *Azorín*, desviado de los grandes sucesos de la España clásica y devoto por principio de los menudos, comprende al fin nuestros dos grandes siglos reduciendo la vida española de entonces a los pequeños hechos que la componen. Por un íntimo imperativo de nuestro existir temporal, evocar es comprender. Y ya sabemos cuál es el expediente a que siempre ha recurrido el arte evocativo de *Azorín*, desde que en el año 1900, a los veintisiete de su vida, publicó su pequeño libro *El alma castellana*.

Algo dije antes acerca de la atracción que la Edad Media ejerció siempre sobre el espíritu de Unamuno, pasados su culto a Spencer —y a Hegel, que de todo hubo— y el europeísmo *sui generis* de *En torno al casticismo.* "¡Ah, si volviese otra vez (nuestro pueblo) a aquella hermosísima Edad Media...!", escribe el año 1898, en su ensayo *La vida es sueño;* "siento con frecuencia la nostalgia de la Edad Media", dice en 1905, como exordio a su *Vida de Don Quijote y Sancho;* "tormento grande es tener que vivir en este nuestro siglo con un alma del siglo XIII", repite en 1906, en *El secreto de la vida,* aludiendo a sí mismo y a su España; "siéntome con un alma medieval, y se me antoja que es medieval el alma de mi patria", confirma en *Del sentimiento trágico,* el año 1912. Gustan a Unamuno los Cristos medievales: "esos Cristos lívidos, escuálidos, acardenalados, sanguinosos; esos Cristos que alguien ha llamado feroces", y en ellos ve el modo español de imaginar al Hijo de Dios.

En este soñado medievalismo espiritual se instala Unamuno y desde él —recuérdese la "libertad del espíritu colectivo" que atribuye a nuestra Edad Media castellana —abomina las hazañas "castizas" de nuestros siglos XVI y XVII: "Después de los Reyes Católicos, con el descubrimiento de América y nuestro entremetimiento en los negocios europeos, nos vimos arrastrados en la corriente de los demás pueblos. Y entró en España la poderosa corriente del Renacimiento, y nos fué borrando el alma medieval..." Pero sobre todo esto he dicho en otro capítulo lo suficiente.

Queda por decir —y con esto reanudo un cabo entonces suelto— que no fué siempre ésta la actitud intelectual y estimativa de Unamuno. Con el curso de los años se acogió su alma al amparo de nuestras glorias castizas y las defendió con vigoroso orgullo. La conquista y colonización de América, San Ignacio de Loyola, la Contrarreforma, Trento, Felipe II, son estimados en su valor universal y hegemónico, y defendidos frente a protestantes y modernos.

Tal es el hecho, enteramente parejo al que antes he descrito en la biografía espiritual de *Azorín.* ¿Será igual, entonces, la etiología y el modo del cambio unamuniano? Si no es igual, al menos es análogo, o a mí me lo parece. Si Unamuno llegó a una estimación positiva de nuestros siglos castizos fué, valga la expresión, metiendo en ellos la Edad Media, medievalizándolos. *Azorín* logra comprender la autenticidad española de la España clásica reduciéndola a sus menudos hechos; viendo al combatiente de Flandes en el gesto con que saluda a una dama. Unamuno llega a enorgullecerse de la Contrarreforma atribuyendo un carácter medieval al espíritu que la movió: "Se me antoja que es medieval el alma de mi patria", dice pocas páginas después de ensalzar a Felipe II y a Trento.

Y como su espíritu es más extremoso y galopante que el de *Azorín,* pronto quema las etapas y cae en el lazo que la tesis casticista ofrece a todos sus defensores españoles: el pretendido africanismo de la autenticidad española. "La expresión *africano antiguo* —escribió Unamuno en 1906— puede contraponerse a la de *europeo moderno* y vale tanto, por lo menos, como ella. Africano y antiguo es San Agustín; lo es Tertuliano. ¿Y por qué no hemos de decir: *hay que afri-*

canizarse a la antigua o hay que anticuarse a la africana?"
Luego pondera el gusto que ha tomado "a nuestra vieja sabiduría africana, a nuestra sabiduría popular". Medievales
y un poco africanos serían, según don Miguel, el espíritu de
la España auténtica y los hechos históricos en que ese espíritu se revela: Jorge Manrique, la mística, Don Quijote, el
Dos de Mayo.

El medievalismo de Baroja, Antonio Machado y Valle-
Inclán ha sido ya demostrado. Vimos también la interpretación semieuropea y semiafricana de España que de pasada
ha propuesto Baroja. Ganivet insistió en la estirpe arábiga,
africana, de nuestra mística y quiso ver una rama árabe en
el árbol genealógico de Don Quijote: "Sin los árabes —dice—,
Don Quijote y Sancho Panza hubieran sido siempre un solo
hombre, un remedo de Ulises." Manuel Machado cantó en su
primer libro (1900) la delicadeza moral del Cid, cuando con
doce de los suyos salió al destierro

> *por la terrible estepa castellana,*

e interpreta arábigamente la condición española de su alma
en un verso famoso:

> *tengo el alma de nardo del árabe español.*

El menos africano del grupo es, sin duda, Valle-Inclán. Es
verdad que concebía a España como una moneda de dos
caras, mediterránea y berberisca la una, romana e imperial
la otra; pero siempre proclamó el deber de fidelidad a esta
última —romana habría sido, según Valle-Inclán, nuestra
colonización de América— y hasta el fin de su vida, pese a
los esperpentos, supo oír "el sonido de la flauta griega".

Pese a todas las diferencias personales, una línea común
puede señalarse en el ensueño de toda la generación acerca
del pasado de España. Y en esta línea común, un motivo do-
mina sobre todos los demás: la nostálgica atribución de una
pura y espontánea autenticidad española a la España anterior a los Reyes Católicos; esto es, a la Castilla primitiva
y medieval. Si todos los escritores del 98 cantan literariamente a Castilla, además de cantar a su tierra nativa; si
todos hallan en su dramática aspereza cierta delicadeza
última y quintaesenciada, y la miran con íntima y delgada
nostalgia, detrás de su sentimiento opera el mito histórico
de una Castilla españolamente pura en su origen remoto.

Ante el dolor presente, la condición temporal del hombre
distiende su ineludible evasión en los dos sentidos de su
tiempo: hacia el recuerdo y hacia la esperanza. La disten-
sión hacia el recuerdo es el sueño del mejor tiempo pasado.

¿Podían quedar exentos de ese sueño los hombres del 98, si todos ellos fueron soñadores por vocación y profesión? Todos sueñan con su manantial como el Guadalquivir salobre de Sanlúcar, y todos lanzan por doble senda su evasión memorativa y soñadora.

Una de estas sendas conduce al pasado propio, a la propia infancia. "A lo largo de la vida, por encima de todos los cambios y mutaciones —ha escrito *Azorín*—, el artista lleva una partícula del ambiente que ha respirado por vez primera." Sí, y de la condición de esa vida a cuyo largo existe y cambia el artista —el hombre, mejor— depende su modo de llevar aquel vestigio del ambiente primero. Lo que para unos será nostalgia, será para otros liberación. Para los artistas del 98, la huella de la infancia tiene el sabor de la nostalgia. La tierra nativa es un paraíso perdido, recobrable por evocación, y así aparece en sus descripciones literarias.

Otra de las sendas conduce hacia su pasado de españoles, al pasado histórico. La nostalgia romántica de un pasado mejor desdeña ahora el asilo de nuestros siglos mayores —en él se instaló la nostalgia de Menéndez Pelayo— y va a cobijarse en el ensueño de una Castilla medieval sencilla y espontánea. Castilla se hace así mito histórico, en el sentido soreliano del vocablo. El mito de Don Quijote y el de Castilla son, en efecto, los dos grandes veneros de energía espiritual que nos han legado a los españoles los soñadores del 98.

Soñar la sencillez de Castilla y esperar el recobro de la autenticidad perdida mediante el recurso de una acción quijotesca van a ser, en consecuencia, las dos actividades principales a que se entreguen, en tanto españoles, los hombres del 98. ¿Hasta qué punto es un azar que Menéndez Pidal, hombre de esa generación, haya hecho de la Castilla originaria el tema cardinal de su egregio trabajo investigador?

EL FUTURO

No sólo hacia el mundo del recuerdo se distiende la evasión del hombre que vive un mal presente; distiéndese también hacia el reino de la esperanza. ¿Qué es sino una necesidad de esperanza lo que mueve a los hombres a soñar?

Tres modos principales adopta la humana necesidad de esperar: el proyecto, el ensueño y la esperanza religiosa. El *proyecto* es una esperanza terrenal próximamente posible, y su versión en el dominio de la operación histórica suele ser llamada "programa político". El *ensueño* es una esperanza terrenal muy remotamente probable, imposible casi, o una

esperanza sin tierra alguna en que apoyarse, esto es, utópica. Su traducción al mundo de la historia es la "utopía política". La *esperanza religiosa* consiste en situar lo que se
espera —la propia felicidad, en último extremo— en una
zona de la realidad rigurosamente transhistórica, escatológica,
en la cual se cree. Se espera en "otra vida", en un modo de
vivir allende la Historia y la muerte propia.

Por lo que toca al tiempo en que se puede cumplir lo que
se espera, el proyecto es "crónico", pertinente al tiempo histórico futuro y posible; el ensueño suele ser "ucrónico",
fuera de tiempo, intemporal; y la esperanza religiosa es
"transcrónica", pertinente a lo que está más allá de nuestro
tiempo natural e histórico. Cuando un muchacho quiere ser
navegante y cuando un gobernante proyecta la firma de un
tratado comercial, esa navegación y esta firma son cosas casi
siempre atañederas al futuro posible; si uno sueña, en cambio, ser un marqués de Bradomín, ese marqués de Bradomín
que uno sueña ser no *está* en tiempo alguno, es ucrónico;
y cuando uno espera salvarse eternamente, ese estar salvo
que espera, pertenece a un modo de existir más allá del
tiempo terrenal.

Los hombres del 98 se evaden de su presente histórico por
la vía del ensueño. Pronto se hastían y desengañan de hacer
programas políticos, y sueñan; sólo en el caso de Unamuno
adoptará el ensueño la forma de una esperanza religiosa
agónicamente sentida. Los ensueños de los literatos del 98
deben ser calificados de semiutópicos y semiucrónicos. Más
atrás quedaron expuestas las razones justificadoras de tales
adjetivos. Pero bueno será, antes de estampar juicios generales, contar con sencillez y exactitud el ensueño de cada
uno de ellos respecto al futuro de España.

El espíritu de don Miguel de Unamuno vivió mucho más
en el futuro, un futuro entre histórico y escatológico, que
en su presente. No fué él precisamente un alma en pena: su
vida cotidiana era la de un profesor puntual, padre de co-
piosa prole —por esto se decía a sí mismo "proletario"—,
hombre locuaz, ganoso siempre de amistades propicias a su
monólogo y atento siempre, aunque dijese odiarlos, a los
sucesos diarios del mundo y de España. No, no fué visiona-
rio ni fué profeta errante.

Pero dentro de esa existencia cotidiana y por debajo de su
retórica "unamunesca" —a veces se adivina en sus páginas
cierto "unamunismo" adrede, retórico— alentaba un espíritu
encendido y lírico, cuyo mundo era el mismo de todos los
poetas, cuando lo son de veras: la humanidad permanente
y el futuro; lo que el hombre es y quiere ser siempre y lo
que en aquel momento puede llegar a ser. El Petrarca canta
al hombre de siempre —el amor, la inquietud humana, el

deseo de felicidad suma—, y al hombre moderno. San Juan de la Cruz, describiendo poéticamente su unión mística, nos muestra lo que el hombre siempre anhela, aunque no lo sepa. Miguel de Unamuno, poeta lírico, nos revela en prosa y verso el hombre que él es —el hombre de siempre, uno de los modos permanentes de ser hombre, en último extremo— y un modo humano de vivir que él cree próximo.

Por eso dije antes que el espíritu de Unamuno vivió mucho más en el futuro que en su presente, más en la esperanza que en la pura y real actualidad: "Morir como Ícaro —decía, y entonces era sincero su unamunismo— vale más que vivir sin haber intentado volar nunca... Sube, sube, pues, para que te broten alas, que deseando volar te brotarán." ¿Hacia qué futuro quería volar el alma de Unamuno? ¿Para qué deseaba sus alas?

Soñaba Unamuno el advenimiento de un mundo nuevo y hermoso: "Llenos de fe, de esperanza y de amor —decía—, dejemos el viejo suelo que nos osifica el alma, y llevando en ésta el viejo mundo concentrado, su civilización hecha cultura, busquemos las islas vírgenes y desiertas todavía, preñadas de porvenir y castas con la castidad del silencio de la Historia..." Soñaba así porque no era pesimista, como no lo era Don Quijote, y creía lo mismo que una de sus criaturas literarias: que todo lo que el hombre puede inventar ha sucedido, sucede o sucederá alguna vez. Aunque ese suceder haya de quedar para otra vida —la sobrevida, solía decir Unamuno—, que ése es el premio reservado por Dios a quienes en ésta han sabido soñar mucho y limpiamente. "Hoy —escribió en 1900, henchido de hermosa fe en el futuro— se unen jóvenes de espíritu en la común esperanza del advenimiento del reino, del hombre; hoy brota verdadera fe, *pistis* santa, confianza en el ideal, refugiado en el porvenir siempre, fe en la utopía..."

Pensaba Unamuno que en la historia de la Humanidad cabe distinguir tres edades sucesivas: la edad de la naturaleza, ya cumplida; la edad de la razón, en la que ahora estamos, y una futura edad del espíritu, en la cual los hombres llegarán a ser sinceros y mutuamente transparentes. Tal vez sea un paso hacia esa tercera edad la ruina de nuestra civilización que Unamuno augura: "Se nos está indigestando en gran parte la civilización... Irá el hombre acumulando medios, inventos, obras y no poniendo su propio espíritu al nivel de ese progreso, y vendrán unos nuevos salvadores bárbaros, que es de esperar salgan de los anarquistas, a restablecer cierto equilibrio relativo. Entonces se quemarán los libros que para nada sirven, corrigiendo esta funesta manía de almacenarlos en bibliotecas, y se destruirá

y consuele los corazones de los condenados al sueño de la vida". Pocos años después, en el capítulo final de *Del sentimiento trágico*, daba Unamuno, con casi desesperada esperanza, su más ardorosa expresión al sueño de nuestro destino quijotesco: "¿Cuál es la nueva misión de Don Quijote en este mundo? Clamar, clamar en el desierto. Pero el desierto oye, aunque no oigan los hombres, y un día se convertirá en selva sonora, y esa voz solitaria que va posando en el desierto como semilla, dará un cedro gigantesco, que con sus cien mil leguas cantará un hosanna eterno al Señor de la vida y de la muerte". Ésa, ésa es la misión de España y la del propio don Miguel, según él mismo sueña aquélla y siente ésta: "hacer que todos vivan inquietos y anhelantes" en la esperanza de su sobrevida.

Sobre los concretos motivos de la acción quijotesca dije ya lo suficiente al hablar del hombre quijotizado. Insistiré tan sólo en la índole activa, operativa, de su proceder y en el carácter de creación que, según el ensueño de Unamuno, tendrá nuestra soñada operación quijotesca. Si una vez dijo don Miguel "que inventen ellos", pronto recoge lo escrito y le da una versión activa y creadora: "al decir *que inventen ellos*, no quise decir que hayamos de contentarnos con un papel pasivo, no. Ellos a la ciencia de que nos aprovecharemos; nosotros a lo nuestro. No basta defenderse, hay que atacar". Lo nuestro sería, según el pensamiento de Unamuno, inventar un modo inédito —humano, religioso, orientado desde y hacia la eternidad— de utilizar las invenciones teóricas y prácticas de la ciencia que entonces aún se llamaba "europea". Y así en todos los órdenes del humano existir: el saber intelectual, la ciencia experimental y la técnica, el idioma, la religión.

Si los españoles empeñan su vida en seguir este arduo y glorioso camino, lucirá en España y en el mundo la humana luz de Don Quijote y Sancho, y a la vez harán a su patria "grande, rica, variada y compleja". Castilla acabará su españolización y cada una de las regiones españolas, sin mengua de cooperar en la universal empresa quijotesca de España entera, afirmará más y más su propia peculiaridad. Entonces habrá llegado la hora de la verdadera libertad y existirá la patria española; porque "sólo se podrá decir que hay verdadera patria española cuando sea libertad en nosotros la necesidad de ser españoles, cuando todos lo seamos por querer serlo, queriéndolo porque lo seamos". Y entonces, por añadidura, habrán cumplido los españoles

la ley de Dios que en patria se revela.

También *Azorín* ha soñado un futuro de España. Lo sueña desde los verdes años en que viene a Madrid y escribe sus

"feroces análisis" de la vida española, sobre la mesita de pino
de un pupilaje modesto. Muchos de los que más tarde lean
sus escritos de aquellos años le tildarán neciamente de pesimista, y con él a todos los de su generación. *Azorín* se defiende contra un vejamen tan rudo e injusto: "Cuando se
acusa a ese grupo de pesimismo —pesimismo infecundo—,
se comete una deliberada o indeliberada superchería— ha
escrito *Azorín* en *Madrid*—. El sentimiento pesimista que se
tiene ante lo presente, se lo traslada a lo por venir, con la
ligereza y la habilidad con que un prestímano hace su juego.
Y no es eso: se considera tristemente lo actual y se tiene
esperanza, firme esperanza, en lo futuro." Hubo pesimismo, a
lo sumo, en la consideración de la España que vieron. Pesimismo fecundo; porque sólo juzgando malo lo que se ve
puede nacer la voluntad de alcanzar lo mejor: "el pesimismo
—añade *Azorín*— es la fuente de la energía y del trabajo
perseverante. Contemplamos la realidad maltrecha, funesta,
y ansiamos ante ese trance de lo que nos es querido, salvar
eso mismo que ponemos junto a nuestro corazón y depararle
una vida placiente y venturosa. Si fuéramos optimistas, de-
jaríamos correr el mundo".

Ha soñado, por lo pronto, que una civilización se está
agotando. Hable por *Azorín* el don Pablo de *Doña Inés:* "El
agotamiento de una civilización era para él un hecho ineludible. Hubiera, sí, querido ver algo de la nueva y lejanísi-
ma organización social. ¡Adiós, Europa! ¡Adiós, Acueducto!
¡Adiós, imperio romano!, repetía don Pablo dulcemente.
Y como ahora, en este otoño, en tanto él se sentía morir, las
hojas amarillas caían en silencio de la arboleda."

La visión azoriniana del tránsito hacia la nueva edad es
sorprendentemente análoga a la de Unamuno: "¿Llegará un
día —se pregunta el maestro Yuste— en que la pequeña propiedad acabe, es decir, en que surja el monopolio de la
tierra, el *trust* de la tierra?... Un día —se ha dicho— el
absentismo, la usura, las hipotecas, el exceso de tributos,
pondrán la propiedad rústica en manos de los Bancos de
crédito, de los grandes financieros, de los grandes rentistas;
entonces se formará una liga —porque la liga favorecerá el
esfuerzo común—, las máquinas harán su entrada triunfal en
los campos, y la tierra, hasta aquí mezquinamente labrada,
será magnánima y reciamente fecunda." Llega la hora de
una mejor justicia social: "el hombre nuevo es el hombre
que espera la justicia social, que vive por ella, para ella, su-
gestionado, convencido". ¿Qué será del arte, de la ciencia,
de la historia, "ese arte tan exquisito y tan moderno", cuando lleguen los nuevos bárbaros? El maestro Yuste no puede
pensar en ello sin un hondo estremecimiento: "me siento
triste —dice— cuando pienso en estas cosas, que son las más

altas de la Humanidad; en estas cosas que van a ser maltratadas en esta terrible palingenesia, que será fecunda en otras cosas, también muy altas, y muy humanas, y muy justas".

Antonio Azorín, ya de vuelta en Yecla, tras su fracasada peripecia madrileña, imagina el terrible fin de nuestra edad en los labrantíos de España: "de Murcia, de Alicante, como de las Castillas y Andalucía, el labrador se alzará con sus hoces y legones y comenzará la más fecunda de las revoluciones españolas... Estos labriegos son sencillos, ingenuos, confiados; pero yo no he visto hombres más brutales, más grandiosamente brutales, cuando se les llega a exasperar... Hoy el labriego está ya muy cansado: la fe le contiene aún en la resignación. Dentro de algunos años —los que sean—, cuando la propaganda irreligiosa haya matado en él la fe, el labriego afilará su hoz y entrará en las ciudades. Y las ciudades, debilitadas por el alcoholismo, por la sífilis y por la ociosidad, sucumbirán ante la formidable irrupción de los nuevos bárbaros..."

Así acabará una civilización, según el sueño de *Azorín*. La nueva, insospechable todavía, comenzará con un resurgimiento de la voluntad a expensas de la inteligencia: "Dentro de treinta años —medita Antonio Azorín, contemplando el espectáculo del frívolo periodismo madrileño— nos limitaremos a sospechar las cosas, lo cual tiene la ventaja de que ahorra tiempo y no entristece el espíritu con la melancolía de las lecturas largas. Y véase cómo lo que parece una calamidad ha de resultar un bien andando el tiempo: porque evitando la reflexión y el autoanálisis —matadores de la Voluntad—, se conseguirá que la Voluntad resurja poderosa y torne a vivir..., siquiera sea a expensas de la Inteligencia." Pero al fin prevalecerá la inteligencia, si hemos de creer al dulce don Pablo de *Doña Inés*: "Haga lo que haga la Humanidad, sea cuerdo o loco el hombre, sean ordenadas o anárquicas las sociedades humanas, al cabo, después de la barbarie, la Humanidad recomenzará lentamente su trabajo de civilización. El hombre es un animal de inteligencia y de orden; la inteligencia y el orden en el transcurso de los siglos, a través de catástrofes y de horribles caos, acaban por imponerse."

Dentro de este cuadro apocalíptico han de abrirse camino las posibilidades históricas de España. ¿Cómo las sueña *Azorín*? Los textos que he transcrito nos hablan de sangrientas catástrofes internas, reflejo de las que han de conmover al planeta entero. No serán esas catástrofes, sin embargo, causa de ruina definitiva, sino preparación de una era de justicia y bienandanza mayores: la era de justicia por cuyo advenimiento trabaja *Azorín*. "Nosotros, que amamos a España con todo nuestro amor, porque hemos estudiado su historia y estamos compenetrados con sus anhelos —decía el año 1905, en el homenaje del Ateneo a Ganivet—, trabajamos, poco o mucho, cada cual desde su esfera, modesta o prestigiosa, por que sea venida esta era de justicia que Pío Cid o Ángel Ganivet ansiaba con ansia tan grande y generosa."

Piensa *Azorín*, y con él todos los hombres del 98, que España es un país cuya historia ha quedado interrumpida, inacabada. El pueblo español no ha dado todavía cuanto puede dar de sí; tal vez queden por decir sus mejores palabras, sus palabras más propias, más españolas... Lo inacabado ejerce una intensa seducción sobre el alma de *Azorín*. ¿No recordáis el extraño encanto de los romances —así el del conde Arnaldos— que terminan abruptamente, como si algo que no sabemos lo que es, algo que puede ser fausto o trágico, hubiese hecho enmudecer al autor? "Lo inacabado —ha escrito *Azorín*— tiene un profundo encanto. Esta fuerza rota, este impulso interrumpido, este vuelo detenido, ¿qué hubieran podido ser y a dónde hubieran podido llegar?"

La historia en que la España auténtica se expresa es también un romance súbitamente interrumpido. ¿A dónde hubiera podido llegar su vuelo? ¿Cuál hubiera podido ser la línea del vuelo que no llegó a cumplirse? *Azorín* vive con sutil hondura —como Unamuno, como Antonio Machado— el problema entrañable de lo que pudo ser y no fué. Frente a la historia de España se pregunta lo que hubiera podido ser nuestra patria, lo que tal vez podría ser aún, si se hubiese hecho algo de lo que pudo hacerse y no se hizo y si se hiciese algo de lo que puede hacerse y no se hace. Bien reciente es un significativo texto suyo: "Vengamos a nuestra España. ¿Dudará alguien de que Carlos I, al hacerse cargo del reino de España, pudo proceder, con inteligencia, de otra manera? ¿Había necesidad de poner en manos rapaces de extranjeros los más importantes cargos del Estado? ¿No pudo Carlos utilizar esos mismos hombres que luego promovieron el levantamiento de las Comunidades?" La inteligencia es la facultad de conocer en cada momento lo posible. Y el ensueño, la de evocar más tarde —de añorar, tal vez— lo que antes fué posible y no llegó a ser cumplido...

Con el desastre de 1898 quedó España en exenta soledad. Estaba desnudo su cuerpo peninsular de toda añadidura terrena. Hay, sin embargo, más de un modo de estar solo. Está solo consigo mismo, terrible soledad, el que va a morir. Mas cuando la soledad no es precursora de la muerte, ¿no es el estar solo, por ventura, un volver a ser niño? ¿No es sentir que se abren ante uno posibilidades inéditas, advertir que uno puede hacer cosas que no hizo y otras que ni siquiera pudo imaginar antaño?

La apariencia exterior mostraba vieja y cansada a la España subsiguiente al desastre. Pero los hombres del 98 adi-

vinan, bajo el rostro caduco, una niñez inédita y delicada.
Si esa España sola y desnuda vuelve la vista al claro manantial de su niñez primera, si descansa bajo el pino verde que
da sombra al limpio borbollón de su primitiva castellanía, si
bebe de sus aguas y sabe adivinar la secreta vena de ellas
que en su seno todavía fluye, aún podrá recorrer nuevos e
insospechados caminos en el tiempo futuro, aún podrá conti-
nuar su vuelo detenido: "Había que intervenir. La idea de
la palingenesia de España estaba en el aire." Había que sacar
a España de su viejo casticismo y meterla en la verdadera
actualidad de la historia universal; así fecundada, daría nuevos frutos españoles y oportunos. Riegos, cultivos modernos,
ligas de campesinos, nuevas industrias; primitivos castellanos,
clásicos verdaderos, el Greco, Zurbarán. Sí, y contacto vivo
con la actualidad de Europa: "España necesitaba comunica-
ción estrecha con Europa. Nosotros veíamos entonces representada a Europa, principalmente, por Federico Nietzsche."
Y después de la intervención y de la predicación —con ellas,
también—, el ensueño de un futuro.

Ha soñado *Azorín* una España vigorosa y alegre, sin mengua de la necesaria gravedad castellana. Ha soñado una etapa de justicia y bienestar en que los españoles hiciesen oír
al mundo una voz no oída y redentora; una voz capaz de
llevar a los hombres, mejor aún que antaño, la severidad
amplia y luminosa de la campiña castellana. "La alborada
de una nueva vida floreciente y renaciente, el deseo formidable e íntimo de ser mejores —escribía en 1913— no es
todavía sino un rudimento en los pechos de unos pocos españoles." En el suyo es algo más que un rudimento: es una
tierra soñada sobre la cual puede vivir su espíritu.

Movido por el ensueño de esa futura España ha escrito
Azorín. Así lo piensa, al menos, cuando inicia su sosegada
madurez: "Hemos cumplido con nuestro deber, hemos trabajado, la sinceridad y el amor a la belleza y a la justicia
han guiado nuestra pluma. Podrá pasar por encima de nosotros otra generación; no podrá arrebatarnos nuestra personalidad, lo trabajado, lo ansiado, lo sufrido." No podremos
nosotros, hombres de otra generación, arrebatarle a *Azorín*
su personalidad, ni desposeerle de los dos tesoros que más
íntimamente la enriquecen.

Es uno la capacidad de sentir delicadamente el dolor del
propio tránsito. Siempre será *Azorín* como el caballero en
que se hace vida un verso de Garcilaso: "¡Eternidad, insondable eternidad del dolor! Progresará maravillosamente la
especie humana; se realizarán las más fecundas transforma-
ciones. Junto a un balcón, en una ciudad, en una casa,
siempre habrá un hombre con la cabeza, meditadora y triste,
reclinada en la mano. *No le podrán quitar su dolorido sentir.*"

Es el otro tesoro la posibilidad de seguir soñando y la virtud de resignarse a que el ensueño no pase de serlo. Acaso
perdure la sequedad de España, luego de haber imaginado y
querido tanto su verdura floreciente. Si tal sucede, ¿por qué
no seguir soñando que esa sequedad es lo más deseable? Ella
hace posible el romero con su florecita azul, y la incomparable dulcedumbre de nuestra miel, y en estas brevas de secano,
tersas, con sus rajas blancas en lo morado. Y hace posible,
sobre todo, la posibilidad de seguir soñando. Así lo siente
Silvino Poveda, dueño de "El Secanet": "¡Y qué bien se sueña aquí, en esta tierra seca, apartado del mundo, sin grandes
necesidades, sin ansia de inmortalidad, contemplando, a veces, desde la cima de un monte, el Mediterráneo azul, que se
aparece allá en lontananza!"

¿Y Baroja? Según su propia confesión, durante toda su
vida llevó en el alma unos sueños más gratos que la vida
misma. Entre esos sueños está el de un futuro de España;
lo lleva consigo desde su más violenta juventud. "Yo em-
piezo a considerar posible la redención de España —escribe
en los primeros años del siglo—; casi, casi creo que estamos
en el momento en que esta redención va a comenzar." La
razón de esta creencia es la misma desolación en que España
ha quedado al perder los últimos restos de su antiguo pode-
río colonial. "Hemos purgado el error de haber descubierto
América —prosigue Baroja—, de haberla civilizado más generosamente de lo que cuentan los historiadores extranjeros
con un criterio protestante imbécil... España ha sido durante
siglos un árbol frondoso, de ramas tan fuertes, tan lozanas,
que quitaban toda la savia al tronco... Se han perdido las
colonias; se han podado las últimas ramas, y España queda
como el tronco negruzco de un árbol desmochado."

Su misma desolada desnudez hace a España más pura y
le permitirá emplear en sí misma toda su savia: *ex solitudine
salus,* de la soledad nace la salvación, piensan Baroja y todos
sus camaradas. "Es un buen momento para España y un buen
momento para el norte de la Península", dirá Baroja a sus
paisanos, los vascos, pocos años más tarde; "la obra antigua
de España es hermosa; pero hay que coronarla, y no está
coronada". También Baroja ve en nuestra historia un vuelo
detenido.

¿Cómo podremos los españoles de hoy llevar a término y
coronación la inconclusa obra de nuestros abuelos? Por lo
pronto, trabajando de modo que nuestra labor sea una continuación del esfuerzo antiguo: "los que esperamos y desea-
mos la redención de España no la queremos ver como un
país próspero sin unión con el pasado; la queremos ver prós-
pera, pero siendo sustancialmente la España de siempre",
afirma Baroja en 1904; "yo quisiera que España fuera muy

moderna, persistiendo en su línea antigua", repite en 1920; "yo quisiera que fuera un foco de cultura amplio, extenso, un país que reuniera el estoicismo de Séneca y la serenidad de Velázquez, la prestancia del Cid y el brío de Loyola".

Todo esto sueña Baroja para el futuro de España. Mas no se conforma con soñar una meta ideal; imagina también un método para alcanzarla. He aquí sus componentes fundamentales.

El primero, la fuerte voluntad de acción. "El tiempo apremia —dice Baroja—, y el que quiera triunfar tiene que aprovecharlo. Vivir a la defensiva, me parece un error... Aislarse, es señal de impotencia. Hay que atacar para triunfar en la vida. Toda la existencia es lucha, desde respirar hasta pensar. Seamos duros, hermanos, como dice Nietzsche; duros para la labor; más parecidos al diamante que al carbón de cocina." Esta enérgica voluntad de acción debe emplearse en romper las fórmulas viejas, los lugares comunes, retóricos; y luego en marchar por el camino propio, no esquivando el peligro, sino buscándolo: "Los españoles hemos sido grandes en otra época, amamantados por la guerra, por el peligro y por la acción; hoy no lo somos. Mientras no tengamos más ideal que el de una pobre tranquilidad burguesa, seremos insignificantes y mezquinos. Hay que atraer el rayo, si el rayo purifica; hay que atraer la guerra, el peligro, la acción, y llevarlos a la Cultura y a la vida moderna."

Segundo componente del método barojiano es la conquista de la ciencia europea y moderna. "Ciencia, precisión, técnica —dice una vez—, eso es lo único grande en el mundo: es lo que ha creado toda la civilización moderna." La europeización de España tiene para Baroja un sentido muy concreto: hacer ciencia a la europea; o, mejor dicho, a la universal, porque la ciencia y el espíritu científico no admiten diferenciaciones nacionales. "La ciencia es lo más inmediato para un país que quiera ser algo en el mundo." Hay que poner en la tierra la semilla de esa planta: "Mientras la nación, o la región, o el municipio no siembren, no habrá cosecha." La cual, según el pensamiento de Baroja, traería consigo una más eficaz y justa ordenación de la vida social: "Crear el laboratorio, crear la técnica, sería formar el sabio. Formado el sabio, habría que darle una jerarquía, la jerarquía máxima en la sociedad. Necesitamos una jerarquía de capacidades: las jerarquías tradicionales ya no nos sirven. Necesitamos jefes, jefes indiscutibles. En lo que parece más vago y menos práctico, en el mundo intelectual, los hemos tenido y los tenemos. Esta técnica y esta jerarquía constituirían una disciplina colectiva. Hay que aproximarse al ideal de que la colectividad exista para el hombre y el hombre se preocupe de la colectividad."

El tercero de los mandamientos de Baroja prescribe cultivar y potenciar al máximo la peculiaridad española en el arte y en la ética: "Creo que España debe aspirar a diferenciarse en lo artístico y literario de los demás países y a independizarse en la esfera de lo moral." Ya conocemos cuáles son para Baroja las líneas de nuestra autenticidad estética: en literatura, Berceo, el Arcipreste, el Romancero, Jorge Manrique, San Juan de la Cruz, fray Luis de León, Cervantes, Calderón, Gracián, Espronceda, Larra, Becquer; en las artes plásticas, el Greco, Pantoja de la Cruz, Zurbarán, Velázquez, Churriguera, Goya. En el orden ético, nuestra singularidad más acusada radicaría en nuestro individualismo.

Cuarta y última exigencia es el esfuerzo de todas las regiones por afirmar su peculiaridad racial, dentro del marco común que a todas señalan las tres condiciones anteriores: "El devenir de España —sentencia Baroja— está en la fructificación y el desarrollo de todos sus elementos étnicos..."

El cumplimiento simultáneo de estas cuatro prescripciones sacaría a luz el verdadero tipo humano del español y convertiría a la España actual en la España que Baroja sueña: "Ha de llegar un día, relativamente próximo, en que la población de España se haga densa, en que las ciudades estén rebosando, en que la paz esté segura y no haya peligro de algaradas y motines.

"Al mismo tiempo, el Norte de África se habrá civilizado y la Península será un paso de un continente a otro.

"Entonces España será una nación de cultura central, tendrá una política seria, sus estadísticas serán irreprochables, sus escuelas estarán perfectamente organizadas, producirá su ciencia en sus laboratorios y su arte en sus talleres."

Éste es el ensueño de Baroja. En él, como en los de Unamuno y *Azorín*, alcanza España excelencia propia injertando en el tronco de su castiza peculiaridad la rama más verde y reciente de la historia universal. Tan intensamente vive dentro de su alma, que se le antoja más valioso aún que la vida misma. Y hasta más real, si hemos de creer lo que Baroja dice de su criatura literaria, el reformador César Moncada: "todo lo que se podía hacer y no se hacía se le figuraba de mayor realidad que las personas con quienes hablaba y convivía".

Acaso el espectáculo de la realidad en torno levante algunas vetas de sombra en el rosado horizonte que imagina Baroja. No importa. Siempre, a la postre, y aunque las experiencias del pasado no hayan sido agradables, se alza en su ánimo la esperanza "como las alondras al sol, en los campos agostados, a la luz clara y penetrante de la mañana". Tal es el envidiable privilegio de todos los soñadores, y Baroja no es excepción a la regla.

Valle-Inclán contempla el futuro de España a través de las posibilidades del idioma. Es lo suyo; ya conocemos sus ideas acerca de la relación entre el lenguaje y la historia. La primera impresión que obtiene el lector es de desesperanza: "Tres romances hay en las Españas —pontifica don Ramón—: Catalán de navegantes, Galaico de labradores, Castellano de sojuzgadores. Los tres pregonan lo que fueron, ninguno anuncia el porvenir." Atengámonos exclusivamente al problema del último, puesto que su porvenir es el que en verdad importa a todos.

Cree Valle-Inclán que el romance castellano no cumple lo que nuestra situación histórica exige; más aún, que no puede cumplirlo sin grave reforma: "Nuestra habla, en lo que más tiene de voz y de sentimiento nacional —dice Valle—, encarna una concepción del mundo vieja de tres siglos." Nos hemos empeñado en la pura imitación del siglo que llaman de oro, y el castellano ha dejado de ser "como una lámpara en donde ardía y alumbraba el alma de la raza". Sigue nutriéndose de "viejas controversias y de jactancias soldadescas", cuando ya no somos una raza de conquistadores y teólogos. "Ya no es nuestro el camino de las Indias, ni son españoles los Papas y en el romance perdura la hipérbole barroca... Ha desaparecido aquella fuerza hispana donde latían como tres corazones la fortuna de la guerra, la fe católica y el ansia de aventuras; pero en la blanda cadena de los ecos sigue volando el engaño de su latido, semejante a la luz de la estrella que se apagó hace mil años..."

En consecuencia, el juicio sobre la situación del castellano es esencialmente negativo: "En el romance de hogaño no alumbra una intuición colectiva, conciencia de la raza dispersa por todas las playas del mar... El habla castellana no crea de su íntima sustancia el enlace con el momento que vive el mundo. No lo crea, lo recibe de lo ajeno." Echa de menos Valle-Inclán una intuición del mundo y de la vida capaz de cumplir tres condiciones básicas: la condición de universalidad: que diga algo válido y valioso para todos los hombres; la condición de actualidad: que responda a los interrogantes propuestos al hombre por la situación histórica actual, viva; y, por fin, la condición de hispanidad: que sea propia de cuantos hablan romance castellano en todas las riberas del mundo y cree en ellos una conciencia colectiva. Nada de esto existe, y de ahí el mandato jupiterino de Valle-Inclán: "Poetas, degollad vuestros cisnes..."

Grito terrible; pero también augural, porque en las entrañas de las aves se anuncia el porvenir: "degollad vuestros cisnes, y en sus entrañas escrutad el destino. La onda cordial de una nueva conciencia sólo puede brotar de las liras". Creo que nunca se entenderá una buena parcela de la inti-

midad literaria de Valle-Inclán —la mejor, quizá— si no se
la interpreta a la luz de este esfuerzo suyo por ventear y
crear un nuevo modo del romance castellano, adecuado a las
exigencias del tiempo y a la cuasiuniversal dispersión de los
que con vocablos castellanos van haciendo su existencia. El
episodio modernista de su vida y su constante pasión por
dar a las palabras una expresividad quintaesenciada fueron
testimonios de su servicio al imperativo de la actualidad;
su inventado lenguaje de Tierra Caliente, esporádica flora-
ción de su cordial impaciencia por lograr un castellano universal. No en vano nació literariamente a la sombra de
Rubén.

El juicio negativo de Valle respecto a la *situación* histórica del castellano no equivale a una negación de sus *posibilidades* futuras. La aislada soledad de España puede ser el
crisol donde se transmute y actualice el idioma; también
Valle adivina o sueña la interna fecundidad, la prometedora
niñez de la España sola: "Volvamos a vivir en nosotros
—aconseja— y a crear en nosotros una expresión ardiente,
sincera y cordial." Eso ha procurado hacer él desde que se
le reveló su vocación literaria: "Desde hace muchos años, día
a día, en aquello que me atañe, yo trabajo cavando la cueva
donde enterrar esta hueca y pomposa prosa castiza, que ya
no puede ser la nuestra cuando escribamos, si sentimos el
imperio de la hora." Nos empeñamos en mirar las palabras
como relicarios y no como corazones vivos, y así "nos parecen
más bellas cuando guardan huesos y cenizas". Esto es a la
vez causa del mal y advertimiento del remedio: "Desterremos para siempre aquel modo castizo, comentario de un
modo desaparecido con las conquistas y las guerras. Amemos
la tradición, pero en su esencia, y procurando descifrarla
como un enigma que guarda el secreto del porvenir. Yo, para
mi ordenación tengo como precepto no ser histórico ni actual,
pero saber oír la flauta griega. Cuanto más lejana es la ascendencia hay más espacio ganado al porvenir."

Augura Valle-Inclán un castellano inédito, un idioma joven, ardiente y contenido, capaz de ceñirse a la vida del
alma como una piel tersa y transparente. Será el lenguaje
en que el espíritu de todos cuantos hablan nuestro romance
haga su nueva epifanía sobre las olas de la historia. Éste es
el ensueño de Valle-Inclán cuando se pone a soñar "en aquello que le atañe". ¿Cómo sueña el futuro de España cuando
se trata de los problemas que no atañen a su condición de
escritor y de esteta? No nos lo ha dicho. Mas tampoco es
difícil adivinarlo, si uno se deja guiar por el hilo luminoso
de sus esperanzas respecto al viejo idioma de Castilla.

Ángel Ganivet estará siempre a la cabeza de nuestros soñadores de futuros. "Yo tengo fe en el porvenir espiritual

OTRA VEZ CASTILLA

Este libro ha sido escrito por un historiador. Sí, pero por un historiador español. O, más exactamente, por un español historiador. El historiador, el intelectual que hay en mí, ha dicho, con cierta presunción de fundamento y con un adarme de pedantería: *quod erat demonstrandum*. ¿Qué dice, qué puede decir el español que soy, después de haber sentido y escrito este ya casi abusivo rimero de páginas? Para que yo mismo escuche lo que ese español —yo mismo— dice, apelaré al recurso de que me valí para iniciar el libro: luego de haberlo escrito, me asomaré otra vez a Castilla e intentaré expresar con palabras el sentimiento que su visión enceta en mi alma. Otra vez Castilla.

Ahora voy en tren hacia mi aventura sentimental. Salgo de Madrid, por la estación del Príncipe Pío. Es la hora en que se inicia el crepúsculo: una de esas puestas de sol, tan madrileñas, tan castellanas, que Unamuno llama "magnificadoras del que las contempla".

Queda atrás el espectáculo de la estación, densamente poblada de figuras, pasiones y ruidos diversos. ¡Cuántas cosas inéditas y conmovedoras podrían decirse sobre el tema de las estaciones españolas! Y, estrechando más el ángulo de la mirada, acerca de las varias estaciones de Madrid, tan distintas todas y tan comúnmente expresivas de nuestra hirviente inquietud vital. ¿Qué dirán, ante el espectáculo de las estaciones españolas, el sociólogo, el novelista, el poeta lírico? Pero en este momento yo no quiero decirme a mí mismo lo que me hace sentir mi rápido paso por la estación que dejo atrás, ni pensar lo que los demás podrán decir acerca de ella. Quiero solamente decirme y decir lo que ahora me sugiere la tierra de Castilla.

¿La tierra? En el primer momento de mi contemplación queda la tierra oscurecida, postergada por el cielo. En este paisaje castellano que ahora veo —la misma Castilla que contemplaron, sintieron y describieron los literatos del 98— prevalece la gloria luminosa del cielo. Ahora es el cielo el

protagonista del paisaje, y la tierra —unos recuestos terreros, pinos dispersos— se limita a la servidumbre de darle
silueta y marco.

¿No habéis visto uno de estos crepúsculos de Madrid,
cuando el estío es acerca a su remate equinoccial? Se diría
que con ellos se esfuerza Dios, sumo artista, por mostrar al
hombre su creadora y providente paternidad estética sobre
el universo. De pronto, todo en el cielo comienza a ser un
acorde de oros. Es el del sol un oro rojizo, esplendente; oro
amarillo y brillante el del cielo que inmediatamente le circunda; oro pálido y desvaído el que sirve de transición hacia
el azul claro, casi blanquecino, de la restante redondez celeste. Cuando el sol se acuesta sobre el horizonte, dos, tres
nubes conceden al cuadro delicada y justísima variedad. Son
otros tantos trazos muy finos, paralelos al confín horizontal
de la tierra; la luz con que brillan es también luz de oro.
Si la sangre del firmamento es la luz, las nubes son ahora
delgadas heridas por las cuales mana esa sangre. Es un
momento en que la luz campea gloriosamente sobre los
objetos que ella nos hace visibles: todo es un cántico sacro
y heroico, y el alma del hombre se siente de súbito, por un
instante, gozosamente superior a su propia esperanza.

Poco a poco el sol se va hundiendo en la tierra. Lo que
ha sido oro va trocándose en plata, y luego en gris acero.
Las nubes van perdiendo la nitidez de su contorno y haciéndose rosadas, rojas, violáceas, cárdenas. Pronto se perderá
el sol y todo color será vencido por el gris: el cielo será gris
azulado, gris de plomo la nube, gris de plata la porción de
firmamento por donde el sol se fué. Y el alma del contemplador habrá pasado de la exaltación a la melancolía, de
la enajenación al recogimiento, del heroísmo a la ternura.

A medida que el cielo se oscurece va siendo vencido por
la tierra. El verde de los pinos, tan esclarecido, tan cercano
a la amarillez cuando la presencia del sol gobernaba los
colores, hácese oscuro y denso. Ya no son los pinos marco
del cielo, sino graves figuras individuales, elementos sustantivos del cuadro. La tierra misma va mostrando más y más
su compacta realidad y las menudas y recortadas superficies
que en ella espejean a la última luz del día: un pequeño
albero, una piedra clara, el charco que resta de un arroyo.
Cuando las primeras estrellas se hacen visibles, todo parece
tierra ante los ojos.

El tren va avanzando entre las primeras sombras de la
noche, camino del filo que separa las dos Castillas. Yo voy
sentado —silencioso, absorto— junto a la ventanilla del va-
gón. He sentido en los senos de mi alma la exaltación, y,
tras ella, una melancólica serenidad. Ahora, cuando me adentro en la oscuridad de esta Castilla nocturna, siento que la

serenidad se va convirtiendo en tristeza. Van pasando estaciones y va haciéndose más espesa la calígine.

Debemos estar ya en Castilla la Vieja. Corre el tren a lo largo de una ladera quebrada, espesamente cubierta de pinos. Mirando hacia abajo, todavía puede entreverse la vaguada subyacente al trazado de la vía férrea. ¿No se distinguen unas superficies blancas entre las sombras de los pinos? Un esfuerzo de los ojos permite identificarlas: son las tiendas de un campamento juvenil Pronto llegan hasta la abierta ventanilla rumores inequívocos: canciones de recuerdo y de alegría, oraciones vesperales.

De golpe, a través de la tristeza del crepúsculo y de la prima noche —cansancio, ausencia de lo que el día hizo presente, anhelo de lo que en cada jornada pudo haber sido y no ha llegado a ser—, se abre paso una clara vena de esperanza. Sobre la tierra madre de Castilla, nuestra Castilla vieja y niña, la misma Castilla que vieron y cantaron los tristes soñadores del 98, viven, vivimos en española comunidad —discorde a veces—, hombres que necesitamos un mañana, que lo seguiremos necesitando cuando el sol, pasada la tiniebla de la noche incipiente, preste nueva figura al mundo y nueva vida a los humanos. Pienso ahora en todos mis amigos y en cuantos a esta hora, en los poblados de España, descansan de su trabajo diurno o inician el nocturno. Todavía se oye, lejos ya, el rumor perdidizo de la canción juvenil. En medio de la noche, envuelta por ella, álzase, insomne e inerme, esta recién nacida y terca esperanza mía.

ÍNDICE DE AUTORES

DE LA

COLECCIÓN AUSTRAL

ÍNDICE DE AUTORES DE LA COLECCIÓN AUSTRAL

HASTA EL NÚMERO 1336

* Volumen extra

INDICE DE AUTORES